edition
Neue

Sein Dresdener Tagebuch, *Die verkauften Pflastersteine,* machte den Dichter Thomas Rosenlöcher bei uns bekannt: Seine Aufzeichnungen hielten das Ende der DDR zwischen September 1989 und den ersten freien Wahlen am 18. März 1990 fest – und sind mittlerweile zum literarischen Geschichtsprotokoll geworden.

Thomas Rosenlöchers neues Buch, *Die Wiederentdeckung des Gehens beim Wandern,* setzt mit dem Tag der Währungsunion, am 1. Juli des Jahres 1990, ein. »Die Deutsche Mark war eingeführt worden... Seit Wochen hatte ich davon gesprochen, einmal für ein paar Tage in den Harz wandern zu gehn... nun, da Deutschland wieder eines werden sollte...«

Westgeld und Westautos – »weh dem, der hier zu Fuß ging« –, Westzeitung, Westbier und Westmenschen – während seiner *Harzreise* – nach berühmtem Vorbild – geht dem sächsischen Wanderer der Westen auf, und Thomas Rosenlöcher notiert diese Erfahrungen als »Fremder im eigenen Land, das mir freilich auch nie gehörte«.

Thomas Rosenlöcher, Jahrgang 1947, lebt in Dresden und veröffentlichte u. a. die Gedichtbände *Ich lag im Garten bei Kleinzschachwitz* und *Schneebier* sowie *Die verkauften Pflastersteine. Dresdener Tagebuch* (es 1635). Thomas Rosenlöcher wurde der Hugo Ball-Förderpreis 1990 und das Märkische Kulturstipendium für das Jahr 1991 zugesprochen.

Foto: Hans-Ludwig Böhme

Thomas Rosenlöcher
Die Wiederentdeckung des Gehens beim Wandern

Harzreise

Suhrkamp

edition suhrkamp 1685
Neue Folge Band 685
Erste Auflage 1991
© Suhrkamp Verlag Frankfurt am Main 1991
Erstausgabe
Satz: Hümmer, Waldbüttelbrunn
Druck: Nomos Verlagsgesellschaft, Baden-Baden
Umschlagentwurf: Willy Fleckhaus
Printed in Germany

8 9 10 11 12 13 – 07 06 05 04 03 02

Die Wiederentdeckung des
Gehens beim Wandern

Kapitel 1

Es war der 1. Juli des Jahres 1990. Die Deutsche Mark war eingeführt worden und stand, von den Bewohnern Dresdens mit Freudenfeuerwerk empfangen, tatsächlich in Form eines riesigen Mondes über den Häuserblocks. Seit Wochen hatte ich davon gesprochen, einmal für ein paar Tage in den Harz wandern zu gehn, um wenigstens andeutungsweise wieder Gedichte schreiben zu können. Natürlich mußte es der Harz sein, nun, da Deutschland wieder eines werden sollte, und sicherlich hatte mir jenes »Auf die Berge will ich steigen« vom Bücherschrank herüber sacht in den Ohren geklungen. Allerdings verschob ich die Wanderung Tag für Tag, denn schon war ich über vierzig und vor lauter Aufstehn und Schlafengehn um den Bart herum ein wenig grau geworden. Überhaupt hatte es etwas Seltsames, wenn ein erwachsener Mensch plötzlich in den Wald wollte. »Vorbei, vorbei«, echote es in meinem Schädel, bis mir meine Frau den Rucksack hinlegte und meine Abreise für den nächsten Morgen beschloß. Selbst meine Hauptmethode, es am nächsten Morgen zu verschlafen, mißlang, indem die längst verschollen geglaubten Dachdecker plötzlich um fünf Uhr früh auf dem Dach herumrumorten und durch die offenen Sparren tief in mein Privatleben blickten. »Pinke, Panke, endlich Pinke«, hämmerten sie auf das Dach meines Schädels, als gelte es, die letzten vierzig Jahre zu vernageln, und unter ihrem nie gekannten Dreifach-

und Vierfachgehämmer verließ ich samt Rucksack das Haus.

Auch auf dem Bahnhof wollten sie nun Westgeld haben, und Münze um Münze hieß es aus dem Portemonnaie vorzuklauben, um jedes der plötzlich viel schwereren Stücke auf seinen Wert hin zu prüfen; ein Fremder im eigenen Land, das mir freilich auch nie gehörte. Die Sekunden dehnten sich und kamen mir bekannt vor, als hätte ich schon oft an einem Fahrkartenschalter gestanden, ohne zu wissen, wozu. Bestimmt wäre es besser, den Zug zu verpassen und morgen mit frischen Kräften noch einmal ganz von vorn in den Harz wandern zu gehn.

»Käsen Sie sich aus, junger Mann!«

Junger Mann genannt, durchquerte ich die Bahnhofshalle mit schon bestimmterem Schritt. Vor wenigen Monaten hätte ich mir am selben Bahnhofskiosk noch, ohne im geringsten zu zögern, ein Zentralorgan des sogenannten Sozialismus gekauft und mich durch den Alltag der fortwährenden Erfolge geblättert. Erfüllten diese Zeitungen nicht ihren eigentlichen Zweck, möglichst dicht bedruckt und leer zu sein, auf nahezu vollkommene Weise? Indem sie durch ihr beständiges Murmeln von Friedenssicherung und Senkung der Kosten das letztendlich immer wieder gern entgegengenommene, staatstragende Gefühl des Unabänderlichen erzeugten?

Nun aber konnte ich mir am Kiosk ohne weiteres eine Frankfurter Allgemeine zulegen. Allein ihr Gewicht er-

schien mir gegenüber den früheren Blättern geradezu
ziegelsteinartig. Und nun kam auch noch der Inhalt
hinzu. So daß ich mir gleich selber etwas gewichtiger
vorkam, da ich diese wichtige Zeitung durch den Bahnhof trug. Informiertsein hieß mitreden können und mitreden können glauben, auch etwas zu sagen haben.
Gerade die Lektüre der Frankfurter Allgemeinen verlieh,
als legitimierte Form öffentlichen Dasitzens mit weit
ausgebreiteten Armen, etwas Männliches, ja Orang-
Utanhaftes. Und dann erst das Seitenumblättern, eine
athletische Ausdauerleistung, begleitet von Potenzge-
knister und plötzlichen Raschelausbrüchen, dem sogenannten Bedeutungsgewitter.

Ob ich den Moment noch bemerkte, von dem an ich
nicht mehr merkte, daß ich eine Westzeitung las? Als ob,
wer ein anderer war, sein Anderssein wahrnahm. Erst
nach dem Zusammenbruch sah der Systemimmanente
seine Systemimmanenz. »Wie konnte ich damals« ging
der Refrain selbstanklägerischen Verwunderns. Allerdings nur, insoweit ihm diese Selbsterkenntnis das
Gefühl verlieh, sich selber zu erkennen, um so, mit er-
neuertem Selbstwertgefühl, ruckartig ins neue System
einzurasten. Soviel zur Bewältigungsfrage. Allein an der
Art, eine Zeitung zu lesen, hätte ich ablesen können, in-
wieweit ich schon zu den Chefs dieser Welt gehörte. –
Freilich lag jetzt, hier im Zug, noch ein winziger Rest von
Verbotenem darin, in aller Öffentlichkeit eine Zeitung
von drüben zu lesen. Beobachtete mich nicht der Mann
gegenüber? Zumindest sein Jackett hatte etwas Anstarre-
risches. Die kahle Stelle am Revers, an der vor kurzem
noch das Parteiabzeichen steckte. Ein blinder Fleck, der

mich fortwährend im Auge behielt, sich vorwurfsvoll zu räuspern begann, von der Moral der Arbeiterklasse und den Zehn Geboten der Prinzipienfestigkeit sprach.

Und das, obwohl der Mann gegenüber eine Sexualzeitung las, die so bebildert war, daß ich andauernd hinsehen mußte. Was wiederum den armen Mann in seiner neuen Eigenschaft als Sexualbetrachter derartig irritierte, daß er mit leisem Murren ins Nebenabteil umzog.

Hinter Halle fuhr der Zug immer langsamer. So wie die Züge von Jahr zu Jahr immer langsamer fuhren. Und sich die Zeit verlangsamte, so daß wir immer mehr Zeit hatten, je später die Züge ankamen. Während das Land sich selbst zu vergrößern schien mit seinen versteinerten Äckern, ja selbst unterwegs war, selbst noch im Schlaf und weiter und weiter abtriftend, mit immer graueren Häusern und einsamer umwölkten Industrieminaretten, jedes Jahr Hunderte von Kilometern weiter im Osten lag. – Die Orte hinter Halle hießen Belleben, Haldensleben, Alsleben, Aschersleben, als müßte erst eigens betont werden, daß hier noch Menschen lebten. Endlich allein im Abteil, konnte ich nun ungestört die Namen der Orte vor mich hinmurmeln, denn was war mehr zu sagen als Haldens-, Als- und Aschersleben, zumal ohne weiteres noch Wanzleben hinzugesetzt werden konnte. Indem das beständige Lebensbimbam der ganzen Bahnhofslitanei Gefaßtheit und Würde verlieh, so daß ich mich im Zuggeratter zunehmend selbst dirigierte, dann aber in einer in sich gezackten Armfuchtelbewegung erstarrte, weil draußen der Schaffner erschien und seinen amusischen Kopf durch die Abteiltür steckte.

»Na, Opa, ich mache gleich mit.«

Ein Burgfried, weiß, überm Holunder. Eine Maschinenhalle, davor der übliche Wirrwarr von rostenden Landmaschinen, Kabelrollen und Kisten. Der Zug kam nur noch im Schrittempo vorwärts, so daß ich mich schon jetzt auf die Daseinsweise des Wanderns einstellen konnte: Weit aus dem Fenster gelehnt, sah ich auf dem Weg einen winzigen Stein.

Bis an den Rand des Wahnsinns war Mohn ins Feld ausgeschüttet.

In Wegeleben stieg ich um. Vermutlich bestand dieses Wegeleben vor allem aus einem Weg, der sich hinterm Bahnhof verlor. Darüber stand eine Lerche und ließ die Sekunden zucken. Am Bahndamm malte das Licht die Minuten in den Staub. Reglos lagen die Schienen auf dem Jahrhundertschotter. Die Normaluhr war stehengeblieben. Doch dann ein Augenblick der Schwärze, da klakkernd das Wunder des Weiterrückens des großen Zeigers geschah.

Im Zug nach Quedlinburg ein schnabelnäsiger Opa, der, durch den Wagen gehend, die wenigen Reisenden zwang, ihm in die Brieftasche zu blicken. »Das kommt auf die Raiffeisenbank«, rief er und ließ im Brieftascheninnern die Bundesadler rauschen. »Damit es die Kommunisten nicht kriegen«, betonte er unter mehrfachem Rucken seiner Schnabelnase, die ihm eine gewisse Ähnlichkeit mit dem Bundesadler verlieh, nur daß der alte Mann mir noch zerrupfter erschien und in seiner Abgehärmtheit fast noch adlerhafter als der Geldscheinvogel.

Nur mich ließ der Großvater nicht in seine Brieftasche

blicken. Denn ich sei, so Opa, quer durch den Wagen zu mir herüberdeutend, Karl-Marx. – Als wäre nicht auch bei mir von allem Weltverändern nur Bart und Haupthaar übriggeblieben. Indem alles Weltverändern die Welt um so mehr ruinierte, daß es nun ratsamer schien, sich etwas Ruhe zu gönnen und ruinöserweise alles beim alten zu lassen. – Nun aber, da Opa ein Einsehen hatte, denn selbst Karl-Marx war ein Mensch, ließ er auch mich in die Brieftasche blicken und jedes der erstaunlich festen, frischgestärkten Bündel anfühlen, wobei mir sein linkes, starres, adlerhaftes Auge immer näher kam, bis sich dieses Adlerauge, das, wohl vom Krieg her, ein Glasauge war, auf einmal mit Tränen füllte.

»Daß ich das noch erleben darf, junger Mann.«

Erneut »junger Mann« genannt, betrat ich den Bahnhofsvorplatz mit deutlich im Nacken wehendem Haar.

Kapitel 2

Ob einer jung war, zeigte sich darin, wie er eine Stadt betrat. Einen Moment lang durfte er noch auf dem Bahnhofsvorplatz stehen, um schließlich die erstbeste Straße zu nehmen. Mit der Wachheit des Träumers sah er das Gras auf den Dächern und den flachen Himmel darüber. Wie verzaubert ging er an der Schreibwarenhandlung vorüber, in der von alters her die Schulhefte schliefen, und entkam nur knapp dem Besen, der den Gehsteig kehrte. Eingebunden ins Fachwerkornament, geschah ein jeder seiner Schritte plötzlich im Hinblick auf eine im Fenster die Blumen gießende Hand. Jedenfalls verspürte selbst ich eine gewisse Restbangigkeit, denn was, wenn wie vor hundert Jahren da oben ein liebliches Köpfchen auftauchte und ausgerechnet bei meinem Anblick nachdrücklich zu erröten verstand?

Immerhin gelang es mir, auf den Marktplatz zu gelangen, ohne recht zu wissen, wie. Eine ziemliche Aufregung herrschte und allenthalben ein rascheres Gehn. »Wir können doch nicht tun, als ob sich gar nichts ändern würde«, sagte eine Aktentasche zu einem blassen Mädchen, das ein Fahrrad schob. Am Kornmarkt, vor der Kirche, standen die Pulloverhändler, und aus aufgestapelten Apparaten erklang Pfefferminzmusik. »Viel zu teuer«, sagte eine Frau und war schon vorüber. »Das sind doch Anfangsschwierigkeiten«, bemerkte die Aktentasche, aber das blasse, fahrradschiebende Mädchen schüt-

telte den Kopf. Schon einmal, vierzig Jahre lang, hatte
die Aktentasche von Anfangsschwierigkeiten gesprochen. Was einem die Weltgeschichte aber auch abver-
langte! Ausgerechnet die neue Zeit war plötzlich die alte
geworden. Während die alte Zeit, die längst überwunden
war, plötzlich als neue Zeit neue Anfangsschwierigkeiten
machte. Auch in den Auslagen herrschte das Signum der
Sieger längst vor, und der Chrom ihrer Brotröstmaschi-
nen leuchtete bis zum Ural. Nur hier und da hielt sich im
Schaufenster noch ein sozialistischer Hilfspullover, oder
eine Planerfüllungslampe brütete gebeugt vor sich hin.
»Viel zu teuer«, sagte die Frau, die hier »viel zu teuer«
sagte. Auch mir tat es weh, für ein Fünf-Pfennig-Bröt-
chen aus den Zeiten des Zentralkomitees eine halbe
Westmark hinlegen zu müssen. »Viel zu teuer«, sagte ein
weißhaariger Greis angesichts der Selterswasserflaschen
und hob seinen Stock drohend in Richtung Verkäuferin.
»Wir machen doch nicht die Preise«, rief die Verkäuferin,
und ihre Stimme klang ängstlich, da sich ihr, in Form
meiner Person, ein bartverwildertes Wesen mit Rucksack
näherte und jene eisenharte Politbürosemmel auf die La-
dentafel knallte. – »Dann gehe ich eben als Reinemache-
frau«, sagte das fahrradschiebende Mädchen und strich
sich eine tapfere Haarsträhne aus der Stirn. – Von hier
und heute ging einer der größten Bankrotte der Weltgeschichte aus, und unsereins mußte sagen, er wäre dabei-
gewesen. Das Zentrum der allgemeinen Aufregung war
die Sparkassenschlange, die sich den Marktplatz entlang
in Dreierreihen erstreckte: Schritt für Schritt, Bauch an
Rücken, geschah der Übertritt in die neue Zeit auf die
alte Weise: in einer Geschwindigkeit von 12½ Metern die

Stunde. Vorbei an den Blumen-Beton-Elementen und dem Teppichhaus »Kultur im Heim«. Vorüber am Volkspolizisten, der drein wie Brummi schaute und unter seiner Dienstmütze wohl nur noch zu träumen glaubte, wobei es bloß noch ein bißchen weiterzuträumen galt, bis daß er, o Wunder, endgültig unter der Uniformmütze des Klassenfeindes erwachte. Vorbei an der Eingangstür und dem Mann im Maßanzug, der, braungebrannt, mit weißen Zähnen und »Kann-ich-Ihnen-helfen«-Lächeln, selbst hier am Harzrand mühelos die Hauptstädte der Welt darstellte.

Die Männer und Frauen aber, die wieder heraus aus der Sparkasse traten, würdigten die Sparkassenschlange mit keinem Blick. Auf einmal ohne Vordermensch, mit luftigerem Gehensgefühl, zögerten sie kurz und gingen merkwürdig stromlinienförmig über die Gehwegplatten davon: als plötzliche Westgeldbesitzer schlagartig ihre eigenen Westtanten und -onkel geworden. Nur einige ältere Leute blieben hier und da stehn und hielten ihren Kontoauszug verblüfft in Augenhöhe. »2000 Mark hat mir noch die Hedwig gegeben«, sagte ein Mütterlein zu den Blumenrabatten. – Immerhin war ein Teil des Ersparten direkt in Westmark umgetauscht worden, aber der Rest der Jahre gnadenlos abgewertet. Selbst die Wäsche im Hof, wehend unter den vollen Segeln meiner Kindheitserinnerungen, trug auf einmal den Stempel SED-Regime. Und doch hielt der Roland vorm Rathaus sein spitziges Schwert hoch empor wie seit eben erst. »Auf ein neues, junger Mann«, sagte ich zu mir, und wieder »junger Mann« genannt, gelang es mir, meine Schritte verhältnismäßig mühelos aus den Kniekehlen hervorzuschlenkern.

Mit neuer Selbstverständlichkeit setzte ich mich vor das Rathaus und bestellte mir ein Bier. Das Bier war ein Weizenbier und befand sich in einem hohen, kostbaren Glas, auf dem in goldenen Lettern der Name des Bieres stand. Es war das erste Weizenbier meines Lebens, und wie ich so dahintersaß, hinter dem hohen, schaumbedeckten Glas, in dessen Innern der Biergeist seine Straße aufwärts zog, begann das Glas samt Wappen und goldener Aufschrift zu schweben und, als Einlösung aller Versprechen, den Namen des Biers anzusagen.

Ein wenig gelang es mir jedenfalls schon, nach Art meiner Westverwandten hinter dem Bierglas zu sitzen und dabei dreinzuschauen, als ob ich das Weizenbier soeben erfunden hätte.

Störend waren nur die Männer, die sich ausgerechnet an meinen Tisch setzen mußten. Stumm schauten sie zu, wie ich mein Weizenbier trank. Stumm schüttelten sie ihre Köpfe, als die Bedienung kam. Wortlos registrierten sie, wie ich mir das Weizenbier versehentlich am Mund vorbei in den Bart sickern ließ. »Was wird aus dem Kohlenhandel, Karl-Heinz?« fragte der eine schließlich und faßte mich ans Knie. Während der andere mein Bierglas austrank und dabei seine Augen derart in sich selbst verdrehte, daß ich das Weiße sah.

»Prost«, sagte ich.

Mißbilligend sahen sie mich an. Dann aber verfielen sie in ein noch tieferes Schweigen, in dessen Verlauf der Niedergang des Kohlenhandels seinen Fortgang nahm.

Kapitel 3

Die Stiftskirche der Äbtissinnen hielt sich verhältnismäßig mühelos hoch über den Autobussen, und die
schwärzlich gegen die Stadt anragenden Doppeltürme
waren ein Anblick von europäischem Ausmaß. Knapp
darunter, in einer der Burgberggassen, der Finkenfang
Heinrich des Voglers und das Geburtshaus Klopstocks:
erstaunlich, aus was für schmalen, nah beieinanderlie-
genden Häuslein ein König und ein Dichter hervorzuge-
hen vermochten. Der Dichter Klopstock jedenfalls hatte
endlich gesagt, was nach Jahrtausenden einmal gesagt
werden mußte: daß Mutter Natur schön sei in ihrer Erfindung Pracht, wobei ihre schönste Erfindung der
Dichter Klopstock war. Kein anderer als er hatte den
Messias geschrieben, ein gänzlich unlesbares, aber be-
deutendes Werk. Nur das, was keiner liest, loben alle,
weil keiner zugeben darf, daß das, was alle loben, keiner
gelesen hat. Wo aber keiner liest, kann der, der auch nicht
liest, nur das Unlesbare noch gründlich gelesen haben.

Das Klopstockhaus war geschlossen. Daneben, im
Museum, Landschaften von Feininger, auf denen die Linien des Daseins quer durch die Horizonte hinüber in
eine andere Welt diffundierten. Die Blocks der Gegenwart, gemalt vor über fünfzig Jahren, und fern im aufge-
lassenen Gelände, knapp vor den brandigen Flächen,
unsereins als Flachfigur, halbiert und ohne Gesicht und
dennoch häuptlings ein Liniensystem und ein bergendes

Himmelsgekritzel. Daß vier, fünf sich im Leeren kreuzende Linien einem Museumsbesucher feuchte Augen machen konnten.

Froh, unbeobachtet zu sein, bog ich in den nächsten Raum ab, aber da sah ich zwei Mädchen von niederschmetternder Schönheit, nach Art eben dieser heutigen, niederschmetternden Schönheiten, lässig auf dem Fußboden hocken, ohne meine durch mehrmaliges Auf-ein-Bild-Zutreten und Wieder-Abstandnehmen deutlich bewiesene Kunstkennerschaft im geringsten bemerken zu wollen. Die eine hatte große Augen und langes, bis zu den Hüften reichendes, kastanienbraunes Haar. Die andere war kurzgeschoren, blond, der Hinterkopf von geistiger Eckigkeit und Porzellan ihre Fingergebärden. Ihr beiderseitiges Geplauder erschien mir als melodiöses Auf-Nieder, gelegentlich unterbrochen von kühl tremolierendem Gekicher, indes ich sie völlig vergeblich umkreiste und schließlich im Abgehn einsehn mußte, daß eine dumpfe Gestalt wie die meine nicht einmal als blasser Fleck auf den Hirnrinden der Schönheiten erschien.

Die Stiftskirche war auch geschlossen, und die über den Burgberg irrenden Kameras wußten nicht ein noch aus. »Alles zu«, sagte die eine. »Normalerweise müßte offen sein«, recherchierte die andere. »Was ist hier normal?« sagte, hinzutretend, ein cremefarbner Sommermantel.

»Das wird dauern, bis die hier im Osten gelernt haben, was eigentlich Arbeiten ist«, bemerkte eine Kleinbildkamera spitz.

»Sind Sie aus dem Osten?« fragte der cremefarbene

Mantel. Die Kameras nahmen sich selber herunter, so
daß hinter ihnen mehrere weißhaarige Herren auftauch-
ten, die beruflich Apotheker waren.

»Nicht ganz«, sagte ich sibyllinisch.

Der Nachmittag war sonnendurchkräht. Der creme-
farbne Sommermantel zog sich aus und hängte sich bei
sich selbst übern Arm, so daß er nun mehr eine weiße
Spitzenbluse abgab, die ihrerseits eine Dame darstellte,
die, trotz entfernter Ähnlichkeit mit der englischen Königin, Apothekersgattin war. Interessiert sah sie an meinen gewiß etwas dürftigen Hosen herab.

»Woher sind Sie dann?«

Mein Kopf transzendierte in sämtliche Richtungen des
Himmels, um schließlich in Richtung der Berge zu wei-
sen, wo wohl der Westen war.

Noch immer krähte die Nachmittagssonne. Unterhalb
des Burgbergs lagen die Dächer der Stadt: ein mürbes
Schindeltheater, ein Wirrwarr von Regenrinne und First,
noch einmal den Himmel zu meinen; kraft eines Giebels
bedenklicher Schiefe und der Ratlosigkeit eines Dach-
stuhlgerippes. Ein brüchiges Auf und Nieder, Winkelzug um Winkelzug das Eh und Je einzukreisen und
Schornstein an Schornstein trotzig die Jahre des Qual-
mens zu zählen. Von unten, über den Flieder herauf, kam
ein Geruch nach versotteter Zeit.

»Was haben die hier aus unserem Deutschland gemacht!«

Alle Apotheker sahn mich von der Seite an. Woher
wußten sie, daß ich das aus Deutschland gemacht hatte?
Ich allein hatte schuld, wo keiner sich erinnern konnte.
Daß keiner sich erinnern konnte, war auch meine

Schuld. Die Schuld, im Verfall keine Sprache für den Verfall gefunden zu haben. Denn wer eine Sprache fand, hatte das Land schon verlassen, das, doch als Kummerland meins, auf einmal den Apothekern gehörte.

»Sie sind wohl doch von hier?«

Ich schüttelte den Kopf. Quer durch das Nachmittagslicht krähte ein Hahn.

Kapitel 4

Unten in der Stadt war es merkwürdig still geworden. Trotz des vorherrschenden Amselgesangs dröhnten meine Schritte viel zu laut auf dem Pflaster.

Eine Gruppe Schwachsinniger ließ sich noch durch die Straßen führen. Leute mit großen Köpfen und unterschiedlich aufwendigen Arten zu gehn. Doch untereinander hielten sie sich jeweils an den Händen fest und ließen auch ansonsten keine Gelegenheit aus, einander zu berühren. Fast neidisch ging ich ihnen nach.

Ein riesenhafter Holunder, über die Fleischhofmauer hinab in den Graben gewälzt. Unter dem Brückenbogen, schon wie von alters her, schlief eine Colabüchse, halbversunken im Schlamm. Tiefschattende Kirchhoflinden, als müßten die Toten da unten mit Stille beladen werden. Selbst auf dem Marktplatz kein Mensch. Nur hier und da aus den Fenstern hielten Familienväter ihre vom Alkohol furchtbar zerklüfteten Köpfe hinaus in die Abendsonne.

Das Viertel der leeren Häuser, wie hieß der Krieg, der hier war? Zwischen Häusern ein Bauzaun, dahinter ein kahler Platz, gekalkt von Abwesenheit. Tote Fenster, tote Gardinen, Hausflure voller Schutt. Noch manchmal das Fachwerk mit Sonnen bemalt und hier und da ein Spruch aus einer vergessenen Sprache, ihr Hauptwort war Lieb und Treu. So kam ich zur Neuendorfstraße, ein Totenkopf sah mir nach, der freilich auch noch lebte und einer Großmutter gehörte, die ich zu grüßen vergaß. Ich sah in ein Kämmerlein, das inwendig ganz grün war, denn neben dem Herd stand ein Ahorn, der die Kammer durchfiedert hatte.

Noch immer dröhnten die Amseln. Da, übers Vorzeit-pflaster, kam schaukelnd ein Chromschiff heran. Be-ständig umherzufahren, das war ihre Art zu erfahren. Zurück in die Sitze gelehnt, den Riemen der Sicherheit als Schärpe vornübergelegt.

Schon konnte ich den Insassen erkennen, der seinen Erwerbsblick rechts, links an die Fassaden anlegte. Ob er als Apotheker wußte, daß er unsterblich war? Allein schon der Glanz seines Automobils schien mir in diese Richtung zu deuten. Gleichwohl gelang es mir, ihn gar nicht bemerkt zu haben und weiter inmitten der Straße zu gehn.

Schon war das Chromschiff näher gekommen.

Mein Nacken versteifte sich.

Meine Füße gingen, als wären sie vollautomatisch.

Wobei das Widerstandszentrum der Rucksack selber war.

Da ich seinen Blick auf ihm spürte.

Und er den Rucksack sicher ziemlich seltsam fand.

Wie auch meine dürftigen Hosen.

»Schau sie dir nur an«, dachte ich. »Sie allein sind die Basis für eine gerechtere Welt.«

Schon heulte der Motor dicht hinter mir.

Schon konnte ich die Stoßstange spüren.

Verzweifelt versuchte ich noch, die Internationale zu pfeifen oder doch wenigstens die Marseillaise.

»Hier geh ich und kann nicht anders«, sprach ich,

»und wären alle Apotheker der Welt in ihren Chromschiffen hinter mir her.« Da aber, ein fanfarisches Blöken, ein melodiöses Dreiklanggebelfer – und ich warf die Arme auf. Ein stumpffingriges Himmelwärtsfassen – und schon fuhr das Chromschiff vorüber. So, an die Hauswand gelehnt, wandt ich dem Apotheker mein schreckensbleiches Profil in seiner Sterblichkeit zu. Indes auch das Apothekergesicht etwas Sterbliches hatte, da er aus dem Chromschiff schaute und im Vorüberfahren noch das Gespräch mit mir suchte, indem er sich erstaunlicherweise meiner Landessprache bediente.

»Blödnischel«, sagte er.

Der plötzliche Auftritt von Ostapothekern machte mein Weltbild noch komplizierter.

Kapitel 5

Auf der Straße nach Thale war auch jetzt noch Betrieb. Ein rumpelnder Lastkraftwagen als eine Art Messias mit Hänger, denn Werners Kartoffelklöße mußten noch heute nach Halle hinunter. Dann wieder die sogenannten Trabanten, die auch eine Stoßstange hatten und auch eine Kühlerhaube, so daß mit dem Wahrbild der Technik aller Gerätschaft Hinfälligkeit klappernd herangaloppierte. Indes auf der Straße nach Thale ein furchtbares Schlagloch war. Da aber kein Auto dem nächsten diesen Sachverhalt mitteilen konnte, mußte fast jedes Fahrzeug das Straßenloch persönlich durchqueren, so daß ich mehrmals versuchte, sie rechtzeitig zu warnen, und auf diese Weise bald derjenige war, der hier auf die Straße zeigte. Und dafür auch noch angehupt wurde, ausgerechnet von einem Fahrzeug der Firma Irrgang & Co. Denn wer hier noch zu Fuß ging und obendrein in der Landschaft herumzudeuten versuchte, war entweder betrunken oder asozial. Allein einem Chromschiff gelang es, auf meinen Hinweis hin, den furchtbaren Straßenkrater weiträumig zu umfahren, wobei die Insassen gemeinsam mit mir über die Verhältnisse hier nur noch den Kopf schütteln konnten. Wogegen der sogenannte Trabant das Schlagloch gar nicht mehr merkte und es selbst noch im Plumpsvorgang gleichsam mit links quittierte. Wahnwitzig in sich selbst vibrierend, setzte er ohnehin das lebensgeschüttelte Dasein seiner Insassen fort. So daß völlig unklar blieb, ob eigentlich der Trabant die Physiognomie der Insassen nachahmte oder ob die Insassen die Physiognomie des Trabanten angenommen hatten. – Eine Mischung aus Lenkradverbissenheit und grimmig grinsendem Kolbenhumor. Ach, wie sie angeschnürt kamen, mit eiernden Radkappen und brav gerundeten Scheinwerferaugen. Wie Vati starr nach vorn gebeugt hinter der Frontscheibe hockte und doch im Vorüberfahren hämisch zu lächeln schien. Und wie sie unter der Heckscheibenlosung »Oh frische Bohne – Wir sind ein Volk« auf einmal in einer Senke verschwanden, nicht ohne mit ihren Heckflossenstümpfen die Straßenkreuzer der Welt zu verhöhnen.

Kapitel 6

Im Hotel »Zum wilden Jäger« war ich untergekommen.
Die alte Bangigkeit, als die Frau im Hotelbuch nachsah.
Das automatische Schuldgefühl, als sie meinen Ausweis
verlangte. Die jahrelang geübte Bereitschaft, sofort ein-
zusehn, daß schon seit vierzig Jahren leider kein Zimmer
frei sei. Um schließlich, schon im Abgehn, mit kleiner,
fast piepsiger Stimme, vorsichtig zu bemerken, daß es
gewiß auch in zwei bis drei Stunden völlig zwecklos
wäre, nach einem Zimmer zu fragen. Denn wann je im
Leben hier überhaupt? Ach, einmal Scheißstaat rufen.
Wenigstens im Abgehn noch. Scheißstaat aus der Tiefe
des Bauchs vorzubellen oder zu flüstern zumindest. Und
dann ab ins Dunkel, bloß fort, daß sie mich hier, in der
Nähe der Grenze, nicht noch verhafteten.

»Wollen Sie nun ein Zimmer, oder wollen Sie es
nicht?«

Das plötzliche Glücksgefühl, da ausgerechnet ich
ohne weiteres ein Zimmer bekam. Die fatale Augen-
feuchte, kaschiert durch ein Dankbarkeitsgrinsen, als
mir die Rezeption den Holzklotz überreichte, an dem
der Schlüssel hing. Treppauf, zwei Schritte in einem. Vorbei am Etagenklo, das wie gewöhnlich rauschte, weil
niemals der Klempner kam. Vorbei an Matratzengerümp-
el und trauernden Bettgestellen. Im Zimmer ein Sauergeruch, daß mir die Brille beschlug. Für eine Weile
atmete ich aus dem Fenster ins Dunkel hinaus. Dennoch

hielt sich hinter mir dieser Sauergeruch, der wohl vom Menschen her stammte, der hier in Gewerkschaftsform seit über vierzig Jahren seinen Urlaub verbrachte.

Unten in der Halle versuchte das Bedienungsmädchen, die sogenannte Marktwirtschaft gleich auf mich anzuwenden, indem sie, kaum daß ich mich hingesetzt hatte, donnernd auf mich zutrat und ernstlich zu lächeln versuchte. Nur war ihr Gesicht etwas grob und nur mehr von innen her schön, das heißt recht ungeeignet, jenes nun auch von drüben angelieferte Glanzpapierlächeln auf ihrer unreinen Haut auszutragen. Immerhin hatte mich ihr donnernder Auftritt derart verblüfft, daß ich ins Stottern kam und auch noch errötete, was Anlaß zu falschen Gedanken gab, denn nun errötete auch sie. Dennoch begann sie, mir tapfer die neuen Biersorten herzuerzählen, wodurch es uns freilich erst recht nicht gelang, gemeinsam ein Bier zu bestellen.

»Welches?«

»Wie bitte?«

»Was?«

»Ach«, sagte ich, »irgendeins.«

»Ja, das wird auch gern getrunken.«

Ratlos sahn wir uns an.

»Bitte ein Bier«, sagte ich.

»Gern«, sagte sie und trat mit gleichsam befreitem Getrampel in Richtung Theke ab, um nach einer Kehrtwende nochmals nach der gewünschten Sorte zu fragen und schließlich doch noch das falsche zu bringen, das sie mir beinah zärtlich über die Hosen goß.

Fast war ich allein in der Halle. Ein paar Tische weiter saß ein finsterer Bursche und starrte in sein leeres Glas.

Ansonsten aber schienen selbst die Berufstrinker lieber zu Hause geblieben zu sein, zumal wir offiziell ermahnt worden waren, das/neue Geld nicht auszugeben, bevor der Wohlstand kam.

»Was wird aus dem Kohlenhandel?« fragte der finstere Bursche und sah in sein leeres Glas. Im künstlichen Kamin brannte eine Rotlichtlampe. Ein Bodetal-Gemälde mit echten Felsenwacken und schäumender Gischt in Öl stellte mein morgiges Wandervorhaben schon jetzt als heroisch dar. Gegenüber war das obligatorische Honekker-Bild auch hier von der Wand genommen. Nur noch zwei Efeupflanzen markierten die Symmetrie, aus deren Mitte uns vor blauem Himmelshintergrund unser Generalsekretär mit brilligem Augenaufblitzen zuversichtlich beim Trinken zusah.

»Ein Bier bitte«, sagte ich.

Vorsichtig fragte ich quer durch die Halle nach den Wetteraussichten, aber der Kohlenmann winkte nur ab und starrte ins leere Glas. Ach, was waren das für Zeiten, da Seume bis nach Syrakus ging und manchmal einen Menschen traf, mit dem er reden konnte. Dabei war ein Gespräch übers Wetter so ziemlich das Tiefsinnigste, was der Mensch gesprächsweise zu leisten vermochte. Schon ein Schlechtwetterwort genügte, den Zustand der Welt zu beschreiben. Des Sprechers Geworfensein. Sein heimliches Kältezittern. Seine Durchnäßbarkeit. Ja, noch der dürftigste Wetterbericht tendierte zur Dichtung hin.

Erneut kam das Bedienungsmädchen quer durch die Halle gedonnert. Das Hühnerfrikassee sah leider wie frisch erbrochen aus. Sogar dem Mädchen schien es peinlich, als sie es vor mich hinstellte. »Guten Appetit«, wünschte sie mir mit vor Ekel verzerrtem Gesicht.

»Bitte ein Bier«, sagte ich.

Probeweise ließ ich auch dem Kohlenmann ein Bier hinüberbringen und prostete ihm sogar zu. Doch was tat der Kohlenmann? Ohne auch nur einmal zu mir herüberzuschauen, trank er das Glas einfach aus, wobei er seine Augen derart in sich verdrehte, daß ich das Weiße sah.

»Bitte ein Bier«, sagte ich.

Obwohl wir die einzigen Gäste hier waren, durchquerte das Bedienungsmädchen wieder und wieder die Halle. Wobei sich das arme Kind vor dem beständigen Knarren der Dielen und ihrem eigenen Füßegetrampel immer wieder aufs neue entsetzte, so daß es sowohl das Dielengeknarre als auch die eigenen Trampelgeräusche mit immer wilderem Dielengetrampel und panisch nachrummsenden krachenden Schritten donnernd zu flüchten schien.

»Bitte ein Bier«, sagte ich.

Allmählich gewann ich die Schwere, die der geheime Zweck allen Biertrinkens war. Die Ordnung ins Chaos des Inneren brachte. Die mich vor meinem inneren Auge deutlicher dasitzen ließ. Bis ich mich selbst aus der Ferne als nicht mehr wegzudenkenden Punkt in der Stuhllandschaft sah.

Ein jeder Biertrinker trinkt um seine Anwesenheit.

Ein Mann im Sportpullover trat ein. Gern hätte ich ihn nach dem Wetter gefragt, aber der Kohlenhändler behielt die Oberhand. »Was wird aus dem Kohlenhandel?« rief er und sah in sein leeres Glas. »Ja«, sagte der Mann im Pullover, »die Freiheit ist euch noch fremd.«

»Da hast du recht, Karl-Heinz«, sagte der Kohlen-mann.

Während der Biersud das Dasein vertiefte, nahm ihm der Biergeist die Last. Ein höheres Kornfeld grüßte aus meiner Tiefe hervor. Lastender auf meinem Stuhl, begann ich mir selbst zu entschweben. Das Wunder der Levitation, gepaart mit den Niedergangskräften.

»Ein Bier bitte«, sagte ich.

Nur was sich rechnete, sei auch okay, erklärte der Mann im Pullover. Allerdings hätte selbst er bei uns hier das Denken verlernt.

»Da hast du recht, Karl-Heinz«, sagte der Kohlen-mann.

»Ich heiße doch nicht Karl-Heinz«, sagte der Mann im Pullover.

»Da hast du recht, Karl-Heinz«, sagte der Kohlen-mann. Und hatte sich schon das Bier seines Gegenübers gegriffen und trank es in einem Zug, indem er seine Augen derartig in sich selbst verdrehte, daß man das Weiße sah.

»War das nicht mein Bier gewesen?«

Ratlos sah der Mann im Pullover mich an. Tatsächlich hieß er Karl-Heinz. Doch als ich nach dem Wetter fragte, ergriff er auch vor mir die Flucht, und der Glanz seines Freiheitspullovers leuchtete ihm in das Dunkel hinaus.

»Bitte ein Bier«, sagte ich.

Mit zunehmenden Bieren hatte ich das quer durch die Halle trampelnde Mädchen fast lieb. Markierte doch ihr donnernder Schritt die Fußspur der Einfachheit. Indes allein schon die Form ihrer Hüften dem herrschenden Okay widersprach. Und sie mit ihrem Getrampel heimlich die Erde rief und unter den, ach wann endlich splitternden, Dielen hervorzustampfen suchte. Die Geister der Schluchten und Wasser. Die Hexen, befeuchtet mit Lehm. So daß ich die rote Lampe im künstlichen Kamin nun auch schon besser verstand. – Längst hatte sie die Stühle ringsum nach oben gekehrt. In einem Stuhlwald saß ich, und selbst der Kohlenhändler verschwand hinter ragenden Beinen. Nur manchmal hörte ich noch aus der verworrenen Tiefe der Beine die Klage des Kohlenhändlers. Dann aber wurde das Licht in der Halle von einer geheimen Hand ausgelöscht, und schließlich ging auch das Rotlicht in der Kamingrotte aus.

Treppauf – in mein Zimmer, in den Sauergeruch. Rasch unter die Bettdecke – von ferne die Stimme des Wasserklosetts. Da, langsam, doch deutlich sich nähernd, ein zaghaft rummsender Schritt. Ein zwar von Vorsicht geprägtes, doch unüberhörbares Blocksbergge-wummer, das ausgerechnet vor meiner Tür innehalten mußte. Reglos lag ich da, jeden Moment gewärtig, daß dieses riesige Kind tatsächlich ins Zimmer käme. Doch desto regloser ich lag, desto atemloser schien sie da drau-ßen zu stehn, so daß wir beide gemeinsam unserem Schweigen zuhörten. Das durch unser doppeltes Lauschen immer lauter wurde und kontinentale Ausmaße annahm. Indes das stete Wasser der defekten Wasserspü-lung schauerlich zu rauschen begann und sich die brau-senden Klowasserfälle auf ihrem Weg in die Tiefen der Erde auf meine Bettkante wälzten.

»Was ist denn mit dir los?« sprach meine Frau.

»Ich muß mal aufs Klo«, sagte ich.

»Dann geh doch«, sagte meine Frau.

»Ich kann nicht«, sagte ich. »Weil draußen die Bedienung steht und mit mir schlafen will.«

»Von wegen Bedienung«, sprach meine Frau. »Abholen kommen sie dich. Du hast doch ›Scheißstaat‹ gerufen.«

»Und du bist es gewesen, die mich in den Harz geschickt hat.«

Tatsächlich klopfte es.

Weinend packte mir meine Frau Kamm und Zahnbürste ein.

Dann gab sie mir rasch eine Mark, die immer noch wie früher aus Aluminium war.

»Habe ich nicht geträumt«, fragte ich, »daß wir jetzt Westgeld hätten?«

Schon wieder klopfte es.

»Spring aus dem Fenster!« rief meine Frau.

Schon hämmerten sie an die Tür.

»Sie wollten geweckt werden«, rief es, und draußen entfernte sich langsam jener charakteristische blocksbergartige Schritt.

»Ich schlafe doch gar nicht«, entgegnete ich. Und wirklich war mir mein Traum bedeutend wirklicher gewesen als die Wirklichkeit, die ich seit Monaten träumte und aus der ich jederzeit noch erwachen konnte und denken: »Du hast aber lange geträumt.«

Kapitel 7

Eine Weile lag ich noch in meinem deutschen Traum. Störend war nur der herrschende Sauergeruch. Dazu kam ein Gebrüll direkt unter dem Fenster, wo offenbar ein Abstellplatz für Lastkraftwagen war, so daß die Abgasfahnen durch die geblümten Gewerkschaftsgardinen direkt in mein Zimmer wehten. Momentlang versuchte ich noch, den Kopf unter der Bettdecke zu verbergen und die dortige Nachtluft zu atmen, die freilich auch vor Abluft strotzte. Ach, gab es überhaupt einen Ort, an dem sich der Mensch nicht ein Hindernis war? Mußte er erst abwesend sein, um einen menschlichen Ort vorzufinden? Vor allem, wenn er sich frühmorgens schon mit Menschheitsfragen kam. – Beim Zähneputzen beachtete ich die Hinweise der Mediziner. Denn das war der Zahnpflege tieferer Sinn: daß sie schon am frühen Morgen von der Erkenntnis der Sinnlosigkeit unseres Daseins abhielt. Bereits die Ruckartigkeit der auszuführenden Zahnputzbewegung verband dem fortschreitenden Leben, zumal die Zahnbürste heimlich als Sinngebungszepter fungierte, und in den Klüften der Zähne ein höheres Schäumen aufrührte, das mich mit dem Pfefferminzatem des Positiven versah.

Doch was war mit meiner Zahnpastentube? »Blendax«, sprach sie zu mir und hatte doch gestern nur »Chlorodont« gesagt. So daß ich meine Westverwandten nun auch schon besser verstand. Denn seit wie vielen

Jahren war ihnen dieser leuchtende Name frühmorgens ins Hirn gestanzt worden. Unmöglich, sich auf Dauer einer so hohen Meinung von sich selbst zu entziehen. »›Blendax‹ sollst du genannt sein, und ›Schaumaktiv‹ sei dein Name«, sagte die Zahnpastentube, und auch der Wasserhahn äußerte sich, da er nach allen Seiten spritzte und vornehmlich mit feinem Strahl mein linkes Auge traf.

Längst füllten unten die Mädchen die Halle mit ihren elefantischen Schritten, doch Frühstück gab es erst später. Die Stadt war noch vom Morgendunst auch meines Schlafs gestreift, zumindest fand ich dieses Wort für einen Ort wie Thale verhältnismäßig passend. Noch blieben die Geschäfte geschlossen, doch neben dem Uhrenladen war schon ein Fenster besetzt. Von einer Art Fensterplatzsonne, die mich mit ihrer Milde beschien und mir auf diese Weise das Frühstück fast ersetzte. Stets waren es die Mütterlichen, die mich, wenn wer überhaupt, mit Wohlgefallen anschauten. Wie spät es wäre, fragte ich. – »Ohne eine Uhr in den Wald?« Kopfschüttelnd schloß die Uhrmachersonne ihren Laden auf und verkaufte mir eine fast schon kostenlose Ruhlataschenuhr. Freilich mußte das Grobchronometer erst gründlich geschüttelt werden; zu lange standen die Zeiger reglos, aber die eigentlich herrschende Zeit hatte die Uhr an sich selber gemessen. An ihrer Rasselmechanik und ihrem Plastegehäuse: von vornherein überholt von den zeigerlosen, auf leisen Nummernsohlen daherkommenden Leuchtschriftuhren der digitalen, westlichen Welt: pulsierende Ziffern, auftauchend im Nu und wieder verschwindend ins Nichts. Als wäre die Zeit abgeschafft zugunsten des blinkenden Kurzaugenblicks. Wogegen die Planwirtschaftsuhr jede Weltsekunde erst mühsam herticken mußte. Oder eben schon immer stillstand, verdrossen den Tag verwartend. Ein Menetekel von Anfang an und nun in wenigen Wochen zu einem Untergangsdenkmal geworden. Leicht wogten in meiner Hand die vierzig gefrorenen Jahre.

»Alles, was wir hatten, war aber auch nicht schlecht.«

»Selbstverständlich«, sagte ich und versteckte das Untergangsdenkmal in meiner Hosentasche. Mochte mich sein erbittertes Ticken noch eine Weile begleiten: bis auch die neue Zeit wieder bloß die alte war. Denn die Mühen der Ebene lagen hinter uns und vor uns die Mühen der Berge. Und die Politiker des Frühjahrs waren von der Sonne schon ganz ausgeblichen. Und starr und böse ihre Augen, wie von Gewittern verblitzt. So daß sie mir von der Plakatwand nachschauten, als ob sie gestorben wären.

Kapitel 8

Der Eingang zum Bodetal war schon besetzt. »Ein Wanderer«, sagten die Kinder, da ich sie stromlinienförmig durchquerte. Soeben mußten sie in Zweierreihen antreten, zu welchem Zweck die Lehrerinnen wie angestochen schrien. Derart, daß, wenn die eine einmal nicht Mario brüllte, die andere einsetzte mit ihrem Manuela-Geschrei. Und doch verhallte das Ordnungsgekläff der Erziehungsbestien erstaunlicherweise rascher als das Kinderstimmengeläut.

Plötzlich allein hier zu stehn, war mir aber auch nicht recht. Eine Weile schaute ich in die Bode hinab und wartete auf ein Naturerlebnis. Aber kein Kräuseln schaute mich an. Und das Rauschen rauschte an meinem Ohr vorbei. Und meine Spucke zerstob unter dem Brückengestänge. Und selbst als ich der Spucke etwas mehr Gewicht beimengte, nahm das Wasser den Fladen beleidigend beiläufig auf. Jeder Bach im Fernsehn wäre wirklicher gewesen, weil jeder Bach im Fernsehn bunter und vielfach schäumender war. Warum hatte mich meine Frau nur in den Harz geschickt?

Die Bäume, mit Wanderzeichen vernagelt. Zur Linken eine rot aufschwebende Seilbahnkapsel. Zur Rechten ein Sessellift, und einsam rasselten am Draht die leeren Sitze bergan. – »Läßt du dich unterwegs mitnehmen, ist deine Wanderung gleich nichts mehr wert«, hatte St. Ernst, mein Freund und Berater in allen Fußgängerfragen, ge-

sagt, und da ich mich noch fragte, ob das Verbot auch für
Liftfahrten galt, stand ich schon im roten Kreis: von dem
aus mir der Sessel unter den Hintern fuhr und mich – ein
kleines Mitspazieren, ein Wispern oben am Draht – direkt in den Wald transportierte. Hinweg über Gräser und
Farne und den da unten ratlos hangab schleichenden
Weg. So daß ich schon ein wenig jene Leichtigkeit spürte,
die das Ziel aller Fahrten war. – Nur hin und wieder
Mastgeholper oder die allerdings stets indignierende Be-
gegnung mit einem eisernen Sitz. Dann freilich ein Knir-
schen und Rucken, und reglos hingen die Sessel zu Tal.
Bestimmt war der Liftknecht nach Hause gegangen,
doch um nach unten zu springen, war mir der Abstand
zu groß. Obwohl ich den Strauch unter mir fast schon
berühren konnte. Die hinfällige Blüte darin. Die mich
trotz ihrer Schwindsüchtigkeit ziemlich ernsthaft anschaute. Rosablaß, wie sie war. Aus ihrer Staubgefäße
Mitte, die einen wirklich sensiblen Betrachter vor lauter
Zartheitsgedanken die Nase hätte kraus ziehen lassen.

Ich zog die Nase kraus.

»Du«, sagte ich so leise, daß ich es selber nicht
hörte.

»Du«, sagte sie noch leiser, daß ich es erst recht nicht
hörte.

Indes wir eine Ewigkeit beieinander verharrten.

Ein sagenhaftes Semmelgesicht.

Ein rosabißchen am Strauch.

Doch da ein Aufschrei, ein Kratschen am Mast. Ein
Ruck ohne Abschied samt Füßegezappel – und ich verlor
meinen Schuh.

»Das ist hier auch noch keinem passiert.«

Der obere Liftknecht betrachtete mich mit Hohn. – Und rechts beschuht, links auf Socken, hieß es, hinunterzuhumpeln. Zwar fand ich meinen Schuh wieder, aber die blaßrosa Blüte galt im Strauch als vermißt.

Dennoch schrieb ich sie ins Notizbuch ein. Das hatte mir mein Freund St. Ernst angeraten. Gerade weil die Natur sich immer weiter von uns entfernte und längst in sich selbst zurückzog, war jede kleine Notiz ein Appell, doch noch eine Weile zu bleiben. Er jedenfalls, so St. Ernst, habe als Naturbeobachter jede Kleinigkeit wichtig genommen und bei seinen ornithologischen Studien auch einmal eine zufällig vorbeikommende Stubenfliege (Musca domestica) schriftlich festgehalten.

Kapitel 9

Oben auf dem Roßtrappenfelsen nahm ich die Hand aus
der Tasche, denn grüßen und gegrüßt zu werden gab
einer Aussicht Sinn. Das ausgebreitete Hangwaldgeröll
war oftmals von grauen Felskanten durchbrochen. Die
Bode rauschte gleich zweimal herauf, heller zur Rechten,
dumpfer zur Linken, da sie den Roßtrapp im Bogen um-
floß. Bis zur Unkenntlichkeit hatte sie sich in die Tiefe
geklaftert, und einzig die im Wechsel gegeneinander vor-
rückenden Berge ließen ihren Zickzacklauf ahnen. Von
ganz da drüben, vom Hexentanzplatz, war die Prinzes-
sin auf ihrem Pferd über den Abgrund gesprungen, denn
der Verfolger hieß Bodo und war ein Riesenbarbar. Indes
ihre Schwester aus älterer Zeit die Flucht noch verwandelt hätte und wenigstens ihr Pferd zum Vogel geworden
wäre. Nicht so diese Brunhilde, sie hatte das Wort vergessen und setzte auf Pferdestärken. Verlor dabei freilich
die Krone, die sie verwandelt hätte: Das war des Fortschritts Preis. Wogegen der Riesenbarbar kopfunter ins
Bodetal stürzte, der schimmernden Krone nach. Die er
vielleicht sowieso haben wollte. Jedenfalls durfte er unten, als Vertreter älterer Zeiten, ins Dasein des Hundes
überwechseln und das rote Gold der Verwandlung bewa-
chen. Und doch galt der Hufaufprallkrater als wundertä-
tiger Punkt. Und als über mir die Sonne durchbrach,
wünschte ich, daß die Sonne durchbräche, und schon
brach die Sonne durch. »Immerhin etwas«, dachte ich
mir, und dankbar dampften die Täler herauf.

Abstieg über einen felsknochigen Pfad. Kleinkrüppliger Eichenwald, die stammdicken Wurzelpartien über den Felsen gedreht. Lautes Rascheln im unteren Laub, vermutlich ein Tiefenhuhn. Die Stämme zwischen den Felsen unregelmäßig gruppiert und die bogigen Astwerkschwuppen von einiger Liederlichkeit. Doch immer wieder neu durchschlug eines Finken Geschwirr das sonnendurchflimmerte Laubblätterdach. Und mit jeder Schwirrtonfolge schienen die Blätter dichter zu werden. Und weiter die Räume der Stämme in Hall und Widerhall. Während der Sänger selbst immer winziger wurde auf seinem unkenntlichen Ast. Das heißt, ich sah ihn nicht. Dabei war er einer der wenigen Vögel, die ich noch beim Namen kannte. So daß mir das Betreten des Waldes allein schon aus Gründen der Unwissenheit hätte verboten sein müssen. »Unsichtbaren Fink im Laubwerk bei Thale gesehn«, schrieb ich ins Beobachtungsbuch. »Hauptmerkmal: fortwährendes Schwirren im Brustton der Anwesenheit.«

Der Fink stand noch immer in vollem Gesang. Doch während sein seliges Daseinsgeschmetter die Anzahl der Blätter multiplizierte, schien jeder Einzelschwirrton die Blätter abzuzählen, so daß zwischen den Blättermassen ganze Einzelblattkaskaden schwebend im Licht verharrten. Und sich mir, Stockwerk um Stockwerk, die Laubwerketagen auftaten, bis ich hoch über mir, im höchsten Sonnendurchbruchspunkt, direkt in die Schaltzentrale des Mysteriums sah, in dessen Zentrum zweifellos der unsichtbare Vogel saß.

»Waldeinsamkeit«, sagte ich in das Vogelgezwitscher hinein. Denn hieß nicht auch ich Karl-Heinz? Und jeder meiner verwunderten Schritte führte mich weiter fort: in das alte Rauschen hinein, das, mich umschließend, von so weit her kam, daß es bald für immer galt und selbst die alten Gerechtigkeitsworte noch einmal aufnehmen konnte, da sie doch, längst unaussprechbar geworden vor lauter Verkehrung und Zukunftsgerassel, gleichwohl im Brustlabyrinth zirkulierten, so daß ich grimmig denken mußte, ich sei eine Hoffnungsmaschine.

Doch drei Schritte weiter, und schon kam der Hauptweg, und da war auch Goethe gegangen. Auf allen vieren freilich, da weglos noch der Grund hier war, und über moosglitschigen Stein. Um die Lage der Klüfte und Gegenklüfte ins geognostische Buch einzutragen. Und selber Hand an den Felsen zu legen. Und sich hier und da einen Brocken in den Mantelsack zu stecken, um auch zu Weimar noch einen Gesprächspartner zu haben. Derweil der Maler Kraus das Chaos hinreichend schraffierte, einschließlich des Bodefalls, den sie bald beiseite sprengten – und seither immer schütterer der Wald und immer furchtbarer die Arbeit des Finken, der mit seiner bloßen Kehle gegen die Waldverdünnung ansang.

Ja, schon stand ich unten am Grund. Ein Rinnsal hatte den Hang noch eben aufglitzern gemacht und war mit dem Finkengeschwirr ins Grundrauschen eingegangen. Aber das Wasser setzte seine Waldarbeit fort. Finster lag es am Fels, und ohne sich groß zu rühren rief es aus dem Inneren ein leises Donnern hervor, das es dem Fels als ein freilich im europäischen Rahmen bescheidenes Echo verlieh. Eine Andeutung von Vorzeitcharakter. Damit auch die Grasbüschel und Farne in diesem von Geländern umgebenen, vollkommen abgewanderten Wald ein klein wenig wilder aus ihren Felsritzen hingen. Und einen Erregungsvorwand dem kahlen Stengel da unten, daß er nicht völlig ohne Grund sein einziges Blatt unablässig auf und nieder schwenkte.

Aber von Goethe kein Wort. Indem das Wasser vor allem von sich selber sprach. In einem einzigen gläsernen Strömen über eine langbemooste, riesige Felswacke zog. Und den Bach links liegenließ. Und mit unerklärlichem Zorn ins hinterste Loch einer hinten im Fels gelegenen Enge einfuhr. Und wieder im Bachbett auftauchte, als eine Wüste aus Schaum. Und sich im Strudeltopf selber umrührte. Und kochte, inmitten der kochenden Gischt. Und im Schwall von zwölftausend Bläschen erblaßte. Bis der Schaum auf der Stelle trat. Ein stetes Aufwärtsblubbern als stationäre Dauereinrichtung. Und kein Davor, kein Danach. Nur dieses Ewigkeitskollern. Weil jeder Augenblick hier eine Ewigkeit währte. Daß mich mit der Gischt eine schräge Fahne aus Langeweile anwehte. Und es sogar egal war, ob Goethe hier herunterschaute oder schon wieder bloß ich. Zumal ich meine Arme wie er hinter dem Rücken verschränkte. Und mich auch sonst bemühte, auf die Johann Wolfgangsche Art klar und frei dreinzublicken.

Kapitel 10

Im Gehen zu denken, Goethe zu sein, brachte mich leidlich voran. Bald eilte mein Fuß, von schräg unten gesehn, weit oben auf schmaler Erde, bald schritt er am Grundweg hin, gerändert vom Rauschen des Bachs. Wobei sich die Füße weit unter mir in beinah schon schwindelnder Tiefe bewegten und dort, verborgen im ledernen Schuh, ihr eigenes Leben führten. Und sich, als Wesen der niederen Art, Schritt für Schritt mit dem Wasser besprachen und Rauschen und Füßegetacker einander sinfonisch ergänzten: das eine, das hinunter wollte, das andre noch hinauf. Bis wieder die Füße hoch oben gingen, infolge der Wegdominanz. Und, wie von der Ewigkeit hingespuckt, unten die kreisrunden Inseln aus Schaum reglos auf dem Wasser schwammen. Denn der Bach war schon stiller und lag hier und da schon müde zwischen den wampigen Steinen, so daß meiner Füße Einsamkeitstakkern sein Rauschen bald überwog.

Noch immer hielt ich die Arme hinterm Rücken verschränkt. Noch immer schaute ich drein, als ob ich Goethe wäre.

Aber das Grün war stumpfer geworden. Gleichgültig hingen die Blätter am Ast. Und selbst das Geschwirr des Finken fiel durch die Zweige hindurch, ohne ein Blatt zu berühren. Was wohl an meinen Augen lag. Kaum ein paar Stunden im Wald, und schon von Laub überlastet. Denn nur das Lebendige sah das Lebendige, das Sonnenhafte das Licht.

»Geheimrat des Waldes«, sprach ich. »Minister der Urphänomene. Ich habe meine Augen vertan. Wie lange muß ich noch gehn, bis sie das Licht wiedergeben, das sie erschaffen hat?«

Aber das Grün war zusammengebrochen.

Nicht eine einzige Einzelblattapotheose gelang.

Selbst hinter meinen Brillengläsern fand schon das Waldsterben statt.

Am Wegrand ein Baumstumpf. Auf dem Baumstumpf ein Unkenntliches, so daß der Stumpf als Postament des Unkenntlichen diente. Und ich noch einmal umkehrte, eingehend das Phänomen zu betrachten. Und leider feststellen mußte, daß es ein Scheißhaufen war. »Woher diese Schwärze«, sprach ich, »hat dich der Teufel geschissen?« – So mich im Prozeß des Verwunderns ein wenig darüberbeugend, um selbst noch dem Unheimlichsten gefaßt ins Auge zu sehn, hob sich vor meinen Augen der Scheißhaufen vollständig auf. Und warf sich, ein Sirren grünglitzernder Flügel, mir rings um das Haupt hin, in ekligem Zickzack, so daß ich, im Gegenzickzack, hin und her sprang, als ob ich der Waldkasper wäre. Und klagend, »Oh Furien aus fliegender Scheiße«, mit deutlich verfinsterter Brille entfloh.

»Es gibt noch Momente«, sprach ich. Dann hielt ich das Ereignis im Notizbuch fest.

Kapitel 11

Als ich aus dem Wald heraustrat, sah mir der Tankwart entgegen, als tränke er täglich Benzin. Der Ort hieß Treseburg, an einigen Ferienheimen stand plötzlich »Gepflegte Speisen« geschrieben. Und selbst der Heimleiter versuchte, sein graues Waffenkammergesicht in menschlichere Falten zu legen und »Bitte schön« zu sagen. – »Zu spät«, dachte ich, »zu spät. Ach, hättest du vor einem Jahr ›Bitte schön‹ gesagt, als hier an der Klappe ein solches Wort noch seltener als Iridium war.« – Doch auf die alte Weise – zack, ein Schlag Kartoffeln, klatsch, ein Hieb Soße mit Fleisch – bekam ich den Teller gefüllt. Und mit dem bekannten Schwung kam mir aus der Küchenhöhle der Gewerkschaftsgulasch von wahrhaft gigantischem Ausmaß entgegen. Wie er vor Bedeutung dampfte. Und sich auf einmal auch als Freiheitskämpfer ausgab. Absichtlich den Staat ruiniert haben wollte. Allein schon durch sein gigantisches Ausmaß. Und weil er der große Gleichmacher war, den jeder auf seinen Teller bekam.

»Du Hund von einem Gulasch«, sprach ich. »Du Korrumpierungshaufen. Hier kannst du mitreden, hieß es, aber da stopftest du uns schon den Mund. Das Reich der Freiheit war uns versprochen, aber zum Ausgleich klatschten sie uns deine Finsternis auf den Teller, daß einem das Auge tränte. Und nannten dich Errungenschaft, die es zu schützen galt. Du Mördergulasch, erinnerst du dich?«

Der Gulasch lag auf seinem Teller und konnte sich wie jeder hier an gar nichts mehr erinnern. »Du Unglückspampe«, rief ich. »Du Arbeiterverräter. Fehlt noch, daß du behauptest, auch nur betrogen worden zu sein.«

Der Gulasch nickte. »Und wie«, sagte er.

Und wirklich dampfte selbst aus diesem Gegenteil einer Speise ein Rest von Utopie. Der ungeheure Gedanke, unglaublicher denn je: daß alle zu essen hätten. Und während ich zum Abschied den Riesengulasch des Sozialismus noch einmal in mich stopfte und meine Augen überquollen und ihn zu verdauen suchten, sahen von draußen die großen, durchscheinenden Ahornblätter herein, rieselte unten im Graben leise das Wasser vorbei, als riefen sie dem Gulaschesser an seinem Einsamkeitstisch im leeren Saal der Gewerkschaft auf einmal noch ein ganz anderes zu, aber das andere war gleich der Tod.

»Mahlzeit«, sagte ich und ging zum Heimleiter bezahlen. Der mich mit seinen diensthabenden Augen musterte, als müßte er mich wegen Untauglichkeit nun leider doch erschießen.

»Was soll denn das hier sein?«

Tatsächlich hatte ich ihm versehentlich einen Geldschein von früher gegeben, der im Portemonnaiehinterfach den Umtausch überstanden hatte.

Wie klein der Schein schon geworden war. Wie lappig er sich anfühlte. Obwohl Karl-Marx auf ihm dargestellt war. Der doch die Austauschbarkeit unserer Knochen eigentlich abschaffen wollte.

Aber auch er war geschrumpft.

Obwohl er immer noch in Richtung Zukunft schaute.

Mit Riesenbart und Löwenmähne auch jetzt noch eine Grundsatzikone.

Ich aber zog ohne weiteres einen anderen Schein hervor. Von dessen Konsistenz sofort eine kleine Unsterblichkeit auf mich überging. Und auf dem ein Herr im Barett das vollkommene Bild eines Apothekers darstellte.

»Schlafe wohl, kleiner Marx«, dachte ich und steckte ihn ins Portemonnaiehinterfach. Um ihn ein Stückchen weiterzutragen: in Richtung Ewigkeit, wo sich womöglich der Gleichheitsgedanke mit dem der Gerechtigkeit schnitt.

Kapitel 12

Wieder der Bach und das Füßegeklacker, zuzüglich meines Atems Geschnauf. Längst hatte ich es aufgegeben, im Gehen wie Goethe zu gehn.

»Alle Freiheitsapostel, sie waren mir immer zuwider.«

Das hatte Goethe geschrieben.

»Jeglichen Schwärmer schlagt mir ans Kreuz im dreißigsten Jahr.«

Das hatte er auch geschrieben.

Ach, war dieser Johann Wolfgang nicht das Urbild eines Großapothekers?

Natürlich meinte er mich.

Obwohl ich über vierzig war. Und der Alte zwölf Jahre jünger als ich, als er durch das Bodetal ging.

Da war ich wohl auf Goethes Spuren in Stunden um Jahre gealtert. Indes dieser Brocken von Mann gar keiner Spur erst folgte, außer der eigenen. Und während er hier am Grund seine Kenntnisse in Geognosie vervollkommnete, war unsereins gerade einmal mit seinen Füßen beschäftigt.

Die mir auch ihre Rätsel aufgaben.

Denn stets war der eine woanders, als der andere war. Und hatte ich einen ins Auge gefaßt, verschwand er im selben Moment, in dem der andere die Szene des Weges betrat. Bis dieser erneut an Boden verlor, hinterwärts, im Unsichtbaren. Doch abermals wieder von hinten auftauchte, indem er forsch die Luft durchstach und aus der Mitte der Kraft vorn auf dem Weg aufsetzte. Daß ich ihn Transzendenzfuß nannte und er mich im Triumph überschritt. Und gleichwohl eines Kollegen bedurfte, der den Kontakt mit der Erde bewahrte und daher Stützfuß hieß, da ich als Gesamtsystem ohne ihn umgekippt wäre. Wie ich überhaupt meine Zeit vornehmlich auf diesem Stützfuß verbrachte; Fragilität unseres Gehens. Denn nur im Umkehrpunkt berührten beide Füße die Erde, um auf dem Weg ihre Namen zu tauschen. Indem der Erfolgsfuß schlagartig seinen Pioniercharakter verlor, da hinten der Widergänger bereits zum Aufbruch blies. Wobei die Armperpendikel gleichfalls gegenläufig gingen, doch parallel zum Gegenfuß. Und einmal in die Zukunft wiesen und einmal ins Gewesene. Und immerzu in Richtung Erde, Fluchtpunkt und Ziel unseres Gehens. Eine rhythmische Wechselarbeit, die dem Wanderer auch etwas Heiteres gab. Und sofort etwas Unseriöses, wenn er die Armpendel einmal entgegen der angeborenen Richtung hin- und herschlenkern ließ, insofern er dann das Aussehen hatte, als käme ein retardierender Dämon entlang des Weges geschlampert.

Noch stiller war der Bach geworden, so daß sich das Füßegetacker ausschließlich mit meinem Atmen verflocht. Wohl durch mich aufgeschreckt, eine Ente: ein großes, fremdes, fliegendes Fleisch, das, seinen Hals vorstreckend, den Verlauf des laubübertunnelten Bachs bis hinter die Biegung als Flugbahn benutzte. Und oben im Erlenlaub das sehr weiße Mittagslicht, das zwischen dem kühlen Grün der Blätter lautlos brannte.

Schon wieder ein Waldaugenblick ohne mich.

Nur ein schwach untermurmeltes Plätschern des Inhalts, daß da ein Würzelchen wäre. Und eine Schar sehr feiner Stimmen, ein silbernes Flüstern samt Nebengekicher, das wohl direkt aus des Wassers Überglitzerung kam.

Die alte Lockung also.

»Ich komme«, sagte ich.

:Stellte die Beine ins Wasser. Die mir im Wasser wie abgeknickt vorkamen. Und unfaßbar die Füße. Große, nackte, weiße Watschen. Unförmige Kulturgebilde. Gehsemmeln, selten benutzt. Als ob sie als Hauptbuchhalter bei mir angestellt wären. Nun aber von grünen Schlingpflanzen und bräunlichem Schlick überdämmert. Und doch, von der Kälte gebissen, viel anwesender als ich, der ich mit dem Rucksack wie St. Christophorus dastand.

»Ich komme«, sagte ich.

:Die Sachen auf den Weg geworfen. Dann mit der Nacktheit des Hinterns in eine Krautwanne gesetzt.

Das Wasser war wirklich kalt.

So kalt, daß ich sofort anwesend war und sich mein Daseins-Augenblick mit dem des Wassers kreuzte. Und mir einmal der große Urschrei der Übereinstimmung gelang. Und dennoch steckenblieb. Weil auf dem Weg ein Mann erschien. Mit kriminalistischem Blick meinen Rucksack anschaute. Und dann noch die restlichen Sachen bis hin zum Unterzeug. Und anschließend davonging, als wüßte er nun Bescheid. Mir aber meinen Aufenthalt gleichwohl verdorben hatte. Da ich mir nackt im Bach auf einmal merkwürdig lächerlich und irgendwie anarchisch vorkam, kurz, rasch meinen Hosen zustrebte.

»Arthur«, sagte sie.

Obwohl ich gar kein Arthur war, stand ich ganz nackt vor ihr. Wie hatte ich mich mit dieser Wampe auch bis in den Harz wagen können! Zu schweigen von meinem Männlichkeitszeichen, das, ohnehin unerheblich, durch dieses kalte Wasser hier ins Negativum schrumpfte.

»Arthur«, sagte sie.

Ich aber beugte mich seitlich nach unten, als ob ich Pilze suchte. Während sie zutiefst enttäuscht, als hätte ich sie um die Möglichkeit meiner Kastration betrogen, mit umständlichen Gehensvorkehrungen begann. Und sich als eine riesenhafte Wegwackelmaschine langsam in Richtung Arthur entfernte. Daß ich meine Sachen raffte und mich in der Höhlung des Weges doch noch einmal umwandt: Und wirklich beide dastanden, vollkommen in die Betrachtung meines Hinterns vertieft. Indes ich ganz natürlich tat und kurz hinübergrüßte. Und sie sogar zu lächeln schien und ihren Walkürenarm hob. Wogegen sich Arthur wirklich als absoluter Gegner des Nacktwanderns erwies.

»Verschwinde, du Schnittendieb.«

Daß man mich nun auch schon Schnittendieb nannte, erschütterte mich sehr. Trotzdem schrieb ich das Ereignis ins Naturbeobachtungsbuch.

Kapitel 13

Bei Wendefurth ging mein Fuß auf einer Staumauer hin.
Und eine Weile brauchte ich, um mir selber zu erklären,
daß sich mein Ewigkeitsaugenblick von heute vormittag
aus diesem Versorgungsbecken von schwach gekräuselter
Gegenwart speiste. Indes mein Fuß auf dem Beton, hoch
über der unter ihm ziemlich verwinzigten Landschaft,
auf einmal recht ingenieurmäßig auftrat. Als hätte er hier
das Land zu vermessen. Auch sprach eine Mauerinschrift
des Jahres 1952 von den unerhörten Taten der Arbeiter
und Ingenieure. Und plötzlich schien mir diese Selbst-
lobinschrift mit der Geisteshaltung meiner Füße ver-
wandt. Nur mußte indessen der Fortschrittsgedanke
nicht mehr derart hinausposaunt werden: War er doch
längst Bestandteil unserer täglichen Gesten geworden, da
selbst meine finsteren Asseln von Hybris befallen waren.

Nun aber mußten sie durch einen Betontunnel gehn,
der selbst mich das Fürchten lehrte, so daß ich ein wenig
zu singen begann. Und der Hall der kathartischen Röhre
meine Einzelwandererstimme – »Fremd bin ich eingezogen, fremd zieh ich wieder aus« – derartig ins Wahrhaf-
tige, Hochkünstlerische rückte, daß mich vor der Schönheit meines Gesanges unter dem Rucksack zu frieren
begann.

Ein Schild mit der Aufschrift »Tanne« wies mich ener-
gisch nach links. In eine Dürrholzfinsternis. Die brau-
nen Stämme oberhalb von etwas Licht getroffen, was

eine hellbraun leuchtende, harzduftende Stille ergab. Zumal meine Füße nun auf dem Nadelpolster äußerst wortkarg geworden waren. So daß ich meinem eigenen Atmen andauernd zuhören mußte. Und mir dieses Atmen fortwährend sogenannte Gedanken eingab. Und diese Halbgedanken, die sich, im Wechsel von Licht und Schatten, mit lauter Halbwahrnehmungen und Schnürsenkelideen vermischten, boshafterweise auch noch rhythmisierte, so daß im Gehen eine Art von Denkungsgeschnauf entstand.

Momentlang blieb ich stehn.

»Waldeinsamkeit«, dachte ich.

»Waldeinsamkeit«, sagte das Denkungsgeschnauf.

Es war zum Wahnsinnigwerden.

»Das hast du gut formuliert«, sagte das Denkungsgeschnauf. – Da ging man nun in den Harz, um zu sich selber zu kommen, aber was hörte man?

»Ja, was hört man denn?« fragte das Denkungsgeschnauf.

Ich hielt den Atem an. Endlich hielt es den Mund. Aber was hörte ich? Nur meine eigene Seelenkahlheit.

Ich hatte mir nichts zu sagen.

Die Talsperre, die vorhin links lag, lag auf einmal rechts. Anschließend eine Tunnelröhre, die mir bekannt vorkam. So daß ich aufs Neue zu singen begann, und vor der Schönheit meines Gesanges unter dem Rucksack zu frieren begann, obwohl eine Abordnung Autos die Röhre mit apokalyptischem Donnern durchfuhr und ich, trotz ausgebreiteter Arme und weitgeöffnetem Mund – »Fremd bin ich eingezogen, fremd zieh ich wieder aus« – nicht einen einzigen Ton von mir hörte.

Kapitel 14

»Warum, o Mensch, gehst du an dieser Bushaltestelle vorüber?« fragte ich mich an der Bushaltestelle. Und als ich mich umwandt, hielt ausdrücklich ein Bus auf mich zu und öffnete sämtliche Türen mit technologisch bedingtem Geächz.

»Wenn du dich unterwegs mitnehmen läßt, ist deine Wanderung gleich nichts mehr wert«, sagte mein Freund St. Ernst.

»Wohin?« fragte der Fahrer.

»Ich möchte doch lieber laufen.«

»Dreimarksechzig«, sagte der Fahrer.

Erschrocken bezahlte ich.

»Jetzt ist es passiert«, sprach St. Ernst.

Ich aber hechtete zur Tür. Entkam nur mit Mühe der Türklappenfalle, die allerdings meinen Rucksack abklemmte, während der Bus schon anfuhr und jemand die Notbremse zog.

Im Inneren das Busfahrertoben. Dann endlich der Rucksack frei und noch einen kurzen Dank dem Fahrer hinübergewinkt. Der mir einen Vogel zeigte. Und als auch das nichts half, schon im Vorüberfahren, wechselweise mit der Faust sowohl seine Hupe traktierte als auch seine niedrige Busfahrerstirn.

Trotzdem war ich stolz auf mich. Was, wenn der letzte Wanderer auch noch aufgegeben hätte? Denn keine andere Möglichkeit gab es, den Fußgänger zu verteidigen, als selber zu Fuß zu gehn. Sogar für Sankt Ernst ging ich mit, den einer dieser Gegenwartsmenschen mit seinem Auto einfach umgemangelt hatte, so daß Sankt Ernst schon seit Wochen im Vogtland im Streckverband lag. Im Namen der Menschheit ging ich, die Humanität Schritt für Schritt zu befördern, womöglich zum letztenmal. Ja, meine Hosen waren gerichtet gegen die Armada der Pneus.

Die ungerührt vorüberrollte und ihre Auspuffrohre auf mich gerichtet hatte.

Ich hielt den Atem an. Und kleine Zwischenatmer überprüften die Luftqualität. Denn selbst nach dem Vorüberrollen ließen sie minutenlang ihre Abgase hier. Wobei dieser Trabant unter den Ostblockmobilen am längsten zu riechen war. – Um so größer die Freude, wenn ich wieder atmen durfte. Kam doch naturgemäß das Gerassel gleich wieder von hinten gefahren. So daß ich mir erst einmal half, indem ich rascher ging. Und dabei soviel Luft wie möglich in mich selbst einpumpte. Das sogenannte Vorratsatmen, in seiner kulminierenden Phase Vorratshecheln genannt. Und darauf wieder das Atemanhalten und die Durchquerung vergifteter Luft. – Nun aber kamen die giftigen Hütten in endloser Reihe gefahren, um auch noch den letzten Fußgänger am Straßenrand auszurotten.

Kurz entschlossen ging ich zur Zirkularatmung über. Indem ich die in mir vorhandene Luft zögernd erst, dann rascher, in mir selber zu atmen begann. Und so die Auspuffrohre einfach abstinken ließ. Und im Triumph die Abgase durchquerte. Und hin und wieder sogar den vorüberrollenden Mördern höhnischen Gruß zuwinkte.

»Kann ich Ihnen helfen, bitte?«

Ausgerechnet ein Trabant hatte angehalten. Heraus sah ein Mensch, der fast aussah wie ich. Nur schmaler das blasse Gesicht und wissender von vornherein. Und das lange glatte Haar weit auf die Schulter hängend. Und der Anflug eines Bartes über der Oberlippe. Und die Augen von gütiger Bläue im schmalen, blassen Gesicht. Als ob Jesus Christus plötzlich aus einem Trabantfenster schaute.

»Ob ich Ihnen helfen kann?«

»Nein«, sagte ich trotzig. Dann ging ich zur soeben erfundenen Zirkularatmung über.

Ob Jesus Christus heutzutage eigentlich Auto fuhr?

Und Goethe?

Goethe bestimmt.

Kapitel 15

Die Fußgängerverteidigungslinie führte über Trauten-
stein. Einen Wiesenweg hinauf, der mir Gelegenheit gab,
mich ab und zu umzusehen. Sehr viele Vogelflüge, die,
teils in langen Bögen, teils stracks hin und her, die Gegend derart vollkommen durcheilten, daß ich, ein wenig
mitzuwirken, ihren Beginn und Verlauf vorauszubestim-
men versuchte, derweil längst ein anderes Schwirren in
einem anderem Buschwerk ausbrach und völlig unerwar-
tet ein äußerst langsamflügliges, zweifaches Übereinan-
dergeflatter auf die Bedeutung der Ferne verwies: über
die Trautensteindächer hinweg zum sägezähnchenbe-
waffneten Wald.

Noch war das Gras von der Sonne durchschippert. Ein
Kreuz und Quer von Blättern, Schatten und Lichtrefle-
xen bis hin zum Still-Durchscheinenden jedes einzelnen
Halms. Ein Heilig-Leuchtendes, in das man sich hocken
konnte. Und das vielleicht die eigentliche Entdeckung
mancher Weltreise war. Doch wie davon berichten, Herr
Humboldt, wenn einem die Worte fehlten? Immerhin
versuchte ich, jede abrupte Bewegung meines Kopfes zu
vermeiden, um die schimmernde Wiesenikone im Schädel abzutransportieren. Und mußte doch an den Schul-
kindern scheitern, die sich herangepirscht hatten und
mich mit Pfeil und Bogen beschossen. Bis endlich die
Lehrerin kam, um mich aus der Hand meiner Feinde zu
retten. Doch was für eine Lehrerin. Sie trug noch die

Sommersprossen aus meiner Kinderzeit. Und ich hatte völlig vergessen, wie sehr ich sie eigentlich liebte. Und hätte um ihretwillen gern weiteren Beschuß erduldet.

»Aber Kinder«, sagte sie. »Laßt doch den Wanderer in Frieden!«

»Das ist doch kein Wanderer«, sagten die Kinder. »Das ist doch der Weihnachtsmann.«

Anschließend gingen sie zu einer anderen Kampfweise über, indem sie mich von allen Seiten mit Pusteblumen bedrängten, so daß ich als Weihnachtsmann eine Weile im Schneegestöber stand. »Auf Wiedersehen«, sagte die Kintertante und lächelte, als wüßte sie um den Himmel ihres Gesichts. Auch winkte sie mit den Kindern noch einmal von unten herauf, bevor sie sich für immer aus meinem Erwachsenenleben entfernte.

Dann stand ich wieder allein.

Dann blieb mir nichts anderes übrig, als in den Wald zu gehn.

Kapitel 16

Meine Füße taten weh, und ich dachte mit Wehmut an Seume, der auf dem Spaziergang von Grimma nach Syrakus seine Füße in schmerzlicher Hinsicht erst kurz vor Venedig erwähnte. Direkt vor mir sprang ein Reh über den Weg und verharrte vor dem Verschwinden derart nachdrücklich in der Luft, daß ich sein Hinterteil von bestürzender Erotik sehr lange mitansehen mußte. Ansonsten schrieb ich keine besonderen Vorkommnisse ein. Zumal das Chromschiff hinter mir von vornherein etwas Halluzinatorisches hatte.

Unendlich langsam kam es heran.

Und vorn auf dem Kühler schwebte das als Mercedesstern bezeichnete Silberzeichen.

Und über dem Mercedesstern das noble Apothekerhaupt.

Das immer näher kam.

Und klar und frei dreinschaute.

Als ob es Goethe wäre.

Das hätte ich mir gleich denken müssen, daß Goethe Mercedes fuhr. Doch diesmal ging ich nicht beiseite. Vierzig Jahre beiseite gegangen, aber jetzt war Schluß.

»König der Dichter«, sprach ich. »Olympischer Hauptapotheker. Habt nicht gerade Ihr die veloziferische Zeit mit Mißbehagen gesehn? Ihr, dem wie keinem das Laub heraufgrünte? Und der den Irrgang des Mondes verspürte in seiner labyrinthischen Brust?«

Das distinguierte Motorgetucker.

Der heiße Atem der Chromaggregate.

»Fahrt nur zu, Exzellenz. Vor Euch geht ein Freiheits-apostel.«

Aber Goethe rührte sich nicht. Nicht einmal ein Hu-pen gönnte er mir, indem er mit seinen Klassikeraugen den Waldhüpf einfach übersah.

Doch war es nicht ein würdiger Abschluß meiner Wanderung, von Goethe überfahren zu werden?

Mit letzter Kraft blieb ich stehn.

Aber auch jetzt keine Antwort. Und als ich mich nach ihm umdrehte, war Goethe in seinem unendlichen Hochmut auf einen Seitenweg abgebogen, und seines Chromschiffes silberner Stern schwebte über der Scho-nung entlang. Kurz, das sah dem Alten ähnlich, einer Auseinandersetzung mit mir letztlich auszuweichen.

In Tanne ging mein Hinken schon ins Heroische. An einem Haus stand »Zimmer frei«, doch als mich die Leute sahen, war leider schon besetzt. Woanders wieder war man heute ausnahmsweise schon vor dem Fernsehen schlafen gegangen. Die Kneipe machte eben zu, doch eine Reisegruppe hatte auf den Tellern genügend Brot für mich übriggelassen. Zwei Burschen kamen mir mit ei-nem Kasten Bier entgegen, aber verkaufen konnten sie nichts, weil sie die ganze Brühe selber trinken mußten: »Alter, das mußt du verstehn.« Und wie ich so die Dorf-straße hinabging und mit jedem Schritt der Bach dunkler und polternder rauschte und über dem zornigen Bach die abgeschrägten Fichtenspitzen mit mir talabwärts gingen, sah ich vor dem düsteren Hang die hellen Regenschleier sich auf und nieder bewegen. »Warum hast du mich eigentlich in den Harz geschickt?« fragte ich meine Frau, aber meine Frau war nicht da.

Endlich ein Zimmer-frei-Schild. Der Wirt freilich hatte sich unter sein Auto zurückgezogen und trat auch nicht wieder hervor. Und als er doch hervortrat, brauchte er Minuten dazu, was sich im Vorgang des Hervortretens freilich von selber erklärte.

Was für ein Gulaschesser. Ganzer Rinderhälften Muh war ihm auf die Stirn geschrieben.

»Alles besetzt«, sagte er.

»Aber draußen steht ›Zimmer frei‹.«

»Wir erwarten noch wen.«

»Dann muß ich im Wald übernachten.«

»Vierzig Mark. Ohne Frühstück, versteht sich.«

»So teuer?«

»Wir haben jetzt Marktwirtschaft!«

»Aha.« – Doch das Zimmer war gar nicht so schlecht, auch was den Geruch betraf. Der Fernsehapparat in der Ecke sprach vom Zuhausesein. Der Plasteblumenstrauß fast schon flehentlich von Kultur im Heim. Und selbst die beiden Fliegen in der marmorierten Lampe waren erst kürzlich verstorben.

Noch einmal klopfte er.

Ich sollte doch gleich bezahlen.

»Bitte schön«, sagte ich.

Durch das Fenster sah ich im Hof ein Chromschiff vorfahren. Aus stiegen meine Westverwandten, wie ich sie schon immer kannte: der Onkel mit dem geschäftig seitlich nach vorne wehenden Schlips. Die Tante mit der Perlenkette und ihrer Entschlossenheit, das Leben schön zu finden. Immer hatten sie uns Kindern Kaugummi mitgebracht, so daß wir »Kaugummi« rufend quer durch die Küche sprangen, während Mutter sich darin übte, wegen der geschenkten Bluse fortwährend in Ohnmacht zu fallen. – Schon in den fünfziger Jahren hatten unsere Westverwandten ihre Überlegenheit an uns studieren können.

»Willst du mich für dumm verkaufen?«

Als sei ich eine Rinderhälfte, sah der Wirt mich an. Tatsächlich hatte ich ihm versehentlich den Geldschein von früher gegeben, der im Portemonnaiehinterfach den Umtausch überstanden hatte.

»Schaut euch das an. Der Karl-Marx hier will mir einen Karl-Marx andrehn!«

Schon in den fünfziger Jahren hatte Onkel uns gesagt, daß das bei uns im Osten nichts würde. Denn der Mensch sei nicht so, falls wir verstünden, was er da meine. Der Mensch sei Egoist. Durch und durch Egoist, hatte der Onkel beim Kaffeetrinken betont, und alle hatten genickt. – Obwohl dieser Sozialismus gar nicht vorhanden war, hatte er unseren Onkel erstaunlich beunruhigt. Denn was, wenn der Mensch plötzlich doch so gewesen wäre? Was wäre dann aus unserem Onkel geworden? Aber auch wir konnten nun, bedeutend ungestörter, leider auch nicht so sein in dieser egoistischen Welt.

Selbst Onkel und Tante waren gekommen, um den Betrüger zu sehen.

Das Zimmer sei jetzt sowieso nicht mehr frei, stellte der Wirt mit Zufriedenheit fest.

»Wir wollen Sie nicht vertreiben«, lenkte der Onkel ein.

»Vielleicht, daß wir zusammenrücken?« schlug die
Tante vor.

»Rote Socken«, sagte der Wirt, »können wir hier nicht
gebrauchen.«

»Machen Sie sich keine Sorgen«, sagte ich zu Onkel
und Tante. »Ich schlafe oft im Wald.« Und führte im
Hinausgehn mein schärfstes Hinken vor.

Kapitel 17

Oben im Wald war völlige Nacht. Nur noch die Buckel der Steine leuchteten auf dem Weg. Weil überall Schlafplatz war, hatte ich Schwierigkeiten, einen Schlafplatz zu finden. Und wo ich mich einmal hingelegt hatte, konnte jederzeit Tier oder Mensch auf mich treten. Selbst in der Senke blieb ich noch eine Weile hocken, eh ich mich der Länge lang der Nacht auslieferte. Doch war es bis zum Schließen der Augen auch jetzt noch ein langer Weg. Zumal ich mit geschlossenen Augen die Finsternis deutlicher sah. Die Reglosigkeit jedes einzelnen Stammes. Die noch größere Reglosigkeit der Zwischenräume zwischen den Stämmen. Das Astwerk, von Starrsinn befallen. Den undeutlichen Blick eines Wurzelrückens. Astspieß und Nadelhippe. Unmöglich, jetzt noch das Wort »Waldeinsamkeit« zu sagen. Viel zu unmittelbar lag ich in seinem Geltungsbereich. Viel zu sehr der Nacht verhaftet waren ringsum die Wurzelgebärden. Zumal gleich unter meinem Rucksack das Phosphorgebiet begann. Furchtbar genug allein das Rascheln meiner Nahrungsmitteltüte.

Vorsichtshalber hatte ich die Augen wieder aufgemacht. Gleich über mir die Nadelschwärze, durch die der Himmel auch jetzt noch erstaunlich hell hindurchschaute. Und selbst noch den letzten Dürrast erhöhte. Daß jeder Trottel sehen konnte, daß nichts unwichtig war auf der Welt. Und die erhöhten Äste ein starres

Gitter bildeten, durch das ein Stern spazierte. Ein pontifikaler Einsamkeitsraster, der mich zum Einschlafen zwang.

Trotzdem wieder aufgewacht. Einfach, weil der Wald hier tickte. Ein feingehäkeltes Untergangsticken. Das mich vierzigjähriger Duldung anklagte. Des Hier-und-da-mutig-Seins, um im Schutz dieses Mutes desto ungestörter feige sein zu können. Des Mauschelns mit der Macht hinter dem eigenen Rücken. Ein irrsinniges, finales Gewummer, die mir verbliebene Zeit noch möglichst rasch abzutackern.

Meine Ruhlauhr war wahnsinnig geworden. So daß ich das Menetekel aus meiner Kuhle warf. Mochte es draußen das Waldsterben messen. Nun aber fing der Wald bedrohlich zu rauschen an. Ein Singen und Widersingen, das mich erst recht nicht einschlafen ließ.

»Er schläft«, sagte die englische Königin.

»Ich schlafe doch gar nicht«, erwiderte ich.

»Er schwindelt schon wieder«, sagte die Kleinbildkamera und fotografierte mich.

»Das hängt mit seinen Hosen zusammen«, erklärte die englische Königin. »Ich glaube, er schämt sich für sie.«

»Kommt er aus dem Beitrittsgebiet?« fragte ein Herr mit goldener Brille. Noch nie hatte ich ein so reines engelhaftes Gesicht mit einer so goldenen Brille gesehen.

»Das ist Goethe«, sagte die englische Königin und biß mich dabei ins Ohr.

»Das ist doch kein Goethe«, erwiderte ich. Nicht einmal Goethe war derartig schön. Obwohl sein Auge sonnenhaft war.

»Er kommt von der Raiffeisenbank«, sagte der schnabelnäsige Opa.

Der Klarsichtengel öffnete den schwarzen Aktenkoffer, um mir seine Karte zu geben.

»Frankfurter Allgemeine«, sprach er. »Was haben Sie für die Freiheit getan?«

Eine furchtbare Pause entstand. Mir fiel tatsächlich nichts ein. Auch machte die englische Königin sich dauernd an meinen Hosen zu schaffen.

»Und Sie?« fragte ich.

»Ich bin die Frankfurter Allgemeine«, sagte die Frankfurter Allgemeine und rückte sich ihre luziferische Brille zurecht.

»Genügt denn das?« fragte ich.

Die Allgemeine lächelte. »Wir stellen die Freiheit doch dar. – Waren Sie Mitglied der Einheitspartei?«

»Bitte ein Bier«, sagte ich.

»Junge, du mußt antworten, wenn dich die Raiffeisenbank etwas fragt!«

»Ob du Mitglied warst, Karl-Heinz«, sagte der Kohlenmann.

»Eigentlich nicht«, sagte ich.

»Und was haben wir denn da?« fragte die englische Königin und holte aus meiner Hose ein Parteiabzeichen hervor. Rasch verwahrte es der Engel in seinem luziferischen Aktentransporter.

»Aber ich bin doch bald wieder ausgetreten!«

»Völlig blind der Junge«, sagte der Opa und drückte mir sein gläsernes Auge ins Auge.

»Er hat den Trabant gebaut«, sagte der Kohlenmann.

Die Kleinbildkamera ging zur Großaufnahme über.

»Und warum erst eingetreten?« fragte der Überlegenheitsengel und verbeugte sich höflich.

Das Bedienungsmädchen brachte mein Bier. »Ein neues Lied, ein besseres Lied, o Freunde, will ich euch dichten!« sang sie, anstatt mir mein Bierglas zu geben. – »Wir wollen hier auf Erden schon das Himmelreich errichten.«

Alle schwiegen erschüttert, als sie geendet hatte.

»Auf unsere Knochen, Karl-Heinz, geht dein Himmelreich«, sagte der Kohlenmann schließlich. Und hatte sich schon mein Bier gegriffen und trank es in einem Zug, wobei er seine Augen derartig in sich selbst verdrehte, daß man das Weiße sah.

»Sind das Ihre Verse?« fragte die Großraumbrille.

»Eigentlich nicht«, sagte ich.

»Er hört nicht auf zu lügen«, sagte die Kleinbildkamera.

Dann zeigte sie mir ein Foto, auf dem ein Apotheker mit weißem gescheiteltem Haar in seinem Waldgrab lag und alles hinter sich hatte.

»Bitte ein Bier«, sagte ich.

Die Apothekerin goß mir das Bier in meine Ostblockhose.

»Aber haben Sie denn nie einen Menschheitsgedanken gedacht?« hörte ich mich noch rufen. Und hierauf ein ungeheures Apothekergelächter. Auch schien es mir, als ob der Engel mit menschheitsgedanklicher Präzision das Grundgesetz zitierte.

»Darf ich ihn zuschütten?« fragte der Kohlenmann. Und das Lachen der Apotheker und das Gerumpel der eimerweise auf mich herabgeschütteten Briketts ergab ein waldweites, krachendes Donnern. Außerdem blitzte es.

Kapitel 18

Blitz auf Blitz durchleuchtete den Wald. Und Krachen und Blitzen fielen in eins und schlugen auf mich ein. Daß ich mich unter St. Ernsts Plane im weißen Licht hocken sah. Und das Wasser gießkannenförmig die feindurchlöcherte Plane durchströmte, die mir der Vogelkundler buchstäblich aufgezwungen hatte, denn eine Übernachtung im Wald, so Ernst, gehöre einfach dazu. Doch während Blitz auf Blitz das tonnenschwere Geäst minutenlang erleuchtete, hatte ich im Erdloch unten geistig gar keine Probleme. Jeder Waldaugenblick war der meine, und ohne weiteres glaubte ich wieder an die alten Götter. Die mich zur Glaubensverstärkung mit drei speziellen Blitzschlägen direkt von der Erde abheben ließen, so daß ich tatsächlich dreimal aus meinem Waldgrab hochschnipste. Dann entfernten sie sich und ließen vor allem Regen zurück. Und fotografierten die Kuppen der Berge mit ihrer Himmelselektrik, und das weiter fortrollende Donnern erschien mir allmählich wieder als weltweites Apothekergelächter.

Anstatt aus dem Wald heraus kam ich ins Morgengrauen. Das feine Bohren eines Vogellauts, daß mir das Zahnfleisch schmerzte. Weißblühende, hüfthohe Stauden, die ihre kiloschwere Nässe auf meinen Ostblockhosen abluden, daß sie wie die Blechröhren standen. Die Vogellaute verflochten sich zu einem unentwirrbaren Auf- und Niederschwanken, gleich in das ornithologische Hauptbuch unseres Herrgotts geschrieben. Ja, der Ozean aus schwankenden, sehr kleinen Vogellauten hatte mich unmerklich wieder zum Christentum bekehrt. Ein Streifen der Landschaft war beidseitig durch einen silbrigglänzenden Zaun abgetrennt. Aber ein Drahtsegment offen und innen entlanggehen möglich. Auf einer Betonplattenstrecke, immer rechts und links flankiert von diesem silbrigen, niemals rostenden Zaun. Nur manchmal ein Flachbunker. Und in kurvigem Schwung des über die Höhe gezogenen Streifens oben ein Vierkantturm mit kleinen, rechteckigen Fenstern. Der, wieder im Abschwung zur Senke hinunter, dem nächsten weißen Betonturm ins rechteckige Auge sah: und dies durch das ganze Land.

»Ich bin ein Arsch«, sagte ich.

Vor einem Jahr fünf Schritte hier, und ich läge am Zaun. Auf dem zur Spurensicherung und zu Verblutungszwecken stets krautfrei gehaltenen Streifen, auf dem auch jetzt noch nichts wuchs. Und die deutschen Fichten beidseits besonders dicht bepelzt und vollkommen ununterscheidbar in ihrer naßgrünen Qualität.

»Ich bin ein Arsch«, sagte ich.

Aus einem der Rechteckfenster zielte grinsend ein Kerl mit einem Stock auf mich. »Ich gehe hier nur spazieren«, sagte ich, schon im Gehen. »Ich wollte gar nicht nach dem Westen«, erklärte ich demonstrativ. Und entfernte mich möglichst gelassen, immer den Knüppel im Rücken. »Ich bin nämlich Schriftsteller, falls Sie hier wissen, was das bedeutet«, erläuterte ich, endlich wieder im Osten, hinter dem rettenden Zaun. Doch meine Seele war bis an ihre Spitzen ergraut.

»Ich bin ein Arsch«, sagte ich.

Auch hatte es wieder zu regnen begonnen, und meine Schuhe quietschten, und die den Weg entlangkommenden Bäche flossen direkt durch sie durch. Und von unten, vom Waldboden her, schauten die Farne und Moose herauf. Und gräßlich geformte, großohrige Pilze wollten mich gleich vergiften. Nicht einmal, wie spät es war, wußte ich ohne Ruhlauhr. Und einmal drang durch die naßgrüne Harzhölle ein einzelner Schrei, der alle Trauer der Welt in sich schloß. Und durch das Buschwerk brach eine Dampflokomotive. Und der Wald war zu Ende und unten ein Bahnhof. Worauf ich rasch hinunterhinkte und St. Ernst etwas sagen wollte, aber vom Vogtland aus viel zu undeutlich sprach, so daß ich den Zug noch erreichte.

Kapitel 19

In Wernigerode ging ich zu einem Münzfernsprecher und telefonierte mit meiner Frau.

»Ich habe aufgegeben.«

»Das kommt doch gar nicht in Frage.«

»Andauernd regnet es.«

»Es hört auch wieder auf.«

»Du solltest mich mal hinken sehn.«

»Lieber nicht«, sagte sie.

»Aber ich liebe dich.«

»Du bist doch erst zwei Tage fort.«

»Ach so«, sagte ich. Dann hinkte ich wieder zum Bahnhof zurück, öffnete das Scherengitter und schwang mich auf den Perron. Und wie ich im knarrenden Abteil unter der einwärts gewölbten Holzdecke saß und vorn die Lokomotive ins schwarze Tunnelloch einbog und Einsamkeitsschreie und Fetzen von Dampf am Fenster vorüberschickte, sagte St. Ernst auf seinem Streckbett im Vogtland zu mir: »Das habe ich gleich gewußt.«

»Ich auch«, sagte ich.

Kapitel 20

Am Bahnhof Schierke standen Männer mit Angelruten, die mich mit weißbärtiger Freundlichkeit grüßten. Gern übernahm ich es, sie zu fotografieren, doch noch begeisterter fotografierten sie mich. Der Weg vom Bahnhof aufwärts war so organisiert, daß einer hinter dem anderen ging und aller hundert Meter wer stand, der allen alles erklärte. Einen Teddybären hatte sich die Frau vor mir auf den Rücken geschnallt, so daß ich das Sofatier andauernd betrachten mußte. Hier und da Granit, der Goethe der liebste Klassiker war. Hoch auf dem Ahrensklint die Haupterklärerin dieser Gegend, die jedem, der heraufkam, zurief, daß sie – »nicht wahr, Vati« – erst gestern da unten gewesen wäre. »Mittagessen!« brüllte sie. »Da unten! In Altenau!« – Und sogar Vati fehlten die Worte. Und auch die weißbärtigen Angler nickten ehrfurchtsvoll.

Flucht längs eines seitlichen Pfads. Durch Fichtenzweige auswärtsspähend: direkt gegenüber ein Berg. Ziemlich flach im Verlauf, so daß wohl am Brocken vor allem der Name brockenhaft war. Und dieser Brocken höchstens durch die Langsamkeit seines Aufstiegs an Bedeutung gewann und durch die Stetigkeit des Übersteigens den Anschein von Mühelosigkeit, ja Auserwähltheit und Kraft, zumal er ja nun wirklich hier der höchste war und symmetrisch in sich ruhend sogar etwas Majestätisches hatte mit seinem Talent zur Wolkenversammlung.

Darum also hatte sich Goethe im Winter des Jahres 1777 im Brocken selber erkannt. Und ihn persönlich bestiegen, so daß er, ihn besteigend, sich selber überstieg. »Denkhaupt der Deutschen«, sprach ich. »Der du mit deinem Verstand die Kollegen wässerst, wässere auch mich.« – Doch gelb, durch einen Wolkenriß, fuhr um die Höhe ein Eislicht umher. Und plötzlich starrte das Plateau von Stangen und Kugelgebilden. Von einem Riesenmast überragt, der frevlerisch auf Hochbeinen stand. Des Fortschritts Hauptaltar. Ein weit in die Zukunft weisendes Stangen-Bovist-System.

Selbst der Fluchtpfad führte wieder auf den Hauptweg zurück. Doch gerade jetzt, wo alle Welt hier im Wald herumlief, war die Verteidigung des wirklichen Wanderns vor allem auf meine Füße gestellt: auch wenn sich meine Schuhsohle leider im Prozeß der Ablösung befand. Von unten ein Lärmen wie in Bädern zur Hochsaison: Das war die Brockenstraße und auf dieser Brockenstraße eine Hauptwandergruppe von zirka 80 Leuten; darunter vor allem die Frauen von Lachkrämpfen geschüttelt. Eine Weile wartete ich, um diese Hauptwandergruppe an mir vorbeizulassen, doch als sie vorüber war, kam schon die nächste Hauptwandergruppe, solange, bis ich begriff, daß auch sie nur Bestandteil einer endlosen Hauptwandergruppe war. Ganze Büros waren entlaufen, und die blassesten Brillenträger hatten die farbigsten Anzüge an. Wahre Bierfässer rollten sich gegenseitig empor und schleppten zur Verstärkung noch einen Bierkasten mit. Scharenweise grölten sie aufwärts, und ihre Vergnügungshütchen verhöhnten die Kuppen der Berge. »Das Wandern ist des Müllers Lust«, sagte ein

Jüngling traurig und kippte mit der Schnapsflasche rück-
lings die Böschung hinab. – Da aber schritt eine echte
Knickerbockerhose achtunggebietend voran und stellte
mich gleich in den Schatten. Und dann kam eine ganze
Abteilung ernsthafter Wanderer mit Bergstock und Jä-
gerhut, und selbst der seit meiner Kindheit völlig ver-
schwundene Gamsbart war wieder da. So daß ich mich
wenigstens auf ihrer Höhe zu halten versuchte, doch
Gamsbart um Gamsbart zog rasierpinselartig an mir vorüber. Nur ein Wanderer, der die Luft besonders scharf-
nasig durchschnitt, hielt sich, wohl aus Mitleid, noch
neben mir. Direkt von Göttingen kommend, mache er
jeden Tag seine sechzig Kilometer. Gerade heute, wo
kaum wer noch wisse, was eigentlich Wandern heiße.
Fünfzig Kilometer wären das mindeste. Selbstverständlich auch eine Schuhwerkfrage, behauptete er und sah gar
nicht erst auf das Flappgeräusch meiner Füße herab.
»Die Schuhe sind das A und O«, sagte er schon einen
Meter vor mir. »Mit solchen Schuhen jedenfalls«, meinte
er, bereits in der Biegung, »hätte ich mir gar nicht erst
einen Rucksack aufsetzen brauchen.«

»Was machst denn du hier?« fragte mich eine Dresdner
Bekannte. »Das frage ich mich auch«, sagte ich. – Sie
jedenfalls war unterwegs, um mit ihrer Nichte, die vor
über dreißig Jahren nach dem Westen gegangen war,
oben auf dem Brocken Wiedersehen zu feiern. Wobei ich
die Nichte sicherlich kannte. Denn hatte sie nicht direkt
in meiner Gegend gewohnt?

»Was bleibst du denn dauernd stehn?«

»Ich zieh meine Socken hoch.«

»Wir sehen uns oben wieder.«

Tatsächlich hatte ich mich mit der verschollenen Nichte als Kind hinter dem Schuppen geküßt. Freilich war ein solcher Kuß ein viel zu sakraler Gegenstand, um offiziell erwähnt zu werden. Falls diese kindhafte Lippenberührung überhaupt Kuß heißen durfte: ein unendlich fernes Kindheitsgenupper hinter dem Schuppen am Zaun.

»Nicht schlappmachen«, sagte eine Wanderfreundin und stemmte mir ihren Schirm in den Rücken. Wieder kamen ganze Scharen von Waldbrüllern herauf. Burschen, die, den Oberkörper leicht nach vorn gebeugt, mit flackernden Augen den Brocken angingen und in der Hand ihre Bierbüchse hielten wie eine Handgranate.

Doch selbst dieser Menschenschlag zog an mir vorbei.

Grüne Notdurftboxen standen am Straßenrand. »Was sein muß, muß sein«, riefen die Damen und verschwanden unter dem Beifall der restlichen hundert Mann. So suchte ich mir wenigstens eine etwas separat stehende Notdurftbox, die freilich schon besetzt war. Denn innen bewegte sich was, und eine Männerstimme brummte beim Notdurftverrichten. Auch hielt der Mensch Selbstgespräche und lachte einmal kurz auf, als ob des Menschen Notdurft etwas zum Lachen wäre. Indes ich mich aber zurückziehen wollte, verließ der Insasse den Kasten, starr und ohne Gruß. So daß es nun an mir war, den Kasten zu betreten. Doch als ich die Tür zu öffnen versuchte, öffnete sie sich von selbst. Und wieder kam jemand heraus. Ein Mädchen, das mich geringschätzig ansah und grußlos vorüberging.

»Alle Achtung«, dachte ich. Denn sicher war es nicht

einfach gewesen, in der Enge dieses Klodeckelcontainers zu zweit seine Zeit zu verbringen.

Aber die Tür ging noch immer nicht auf. Und als ich an ihr rüttelte, setzte sich das Rütteln im Innern des Kastens fort. Und Brandts Toilettenkabine begann derart zu vibrieren, als wäre sie motorisiert. So daß ich vor der Arbeit des Kastens respektvoll den Rückzug antrat. Und mir doch den Schweiß von der Stirn wischen mußte, als er endlich zur Ruhe kam.

Dann machte ich mich endgültig auf, mir ein stilleres Behältnis zu suchen. Als sie nun ihrerseits den Kasten eilig verließen, einer hinter dem anderen: erst sie, dann er, dann sie. Indem sie mich alle drei mit größter Verachtung anschauten und leider auch nicht wußten, was »Guten-Tag«-Sagen war.

Ich aber stand vor der leeren Kabine und hatte vergessen, warum. Und als es mir wieder einfiel, wußte ich nicht mehr, wie.

Kapitel 21

Sämtliche Hundertschaften waren schon vor mir da, so
daß ich das Brockenplateau erst mit der restlichen
Menschheit erreichte: entlang an den Betonplatten, hinter denen aus Sicherheitsgründen die kleinen Hexen-
fichten eingemauert waren. Oben hatten sich die weißbärtigen Männer in einem Kreis aufgestellt und knallten
mit den Angelruten, was sicher ein Harzbrauch war.
Und ein Akkordeon spielte dazu, und der Brocken war
zugeschüttet, und über uns rauschten die Apparaturen
der Macht. Ein deutsches Vielvölkertreffen auf streng
militärischem Gelände. Sogar die Büromenschen standen fröhlich beieinander, gamsbartuntermischt. Und
manchmal löste sich ein Sportsmann aus einer Gruppe
und ging mit zutiefst entschlossenem »Jo, dann wollen
wir mal« in Richtung Wolkendunst. Und hinter dem
Drahtzaun waren die Russen soeben dabei, ihr Weltreich
abzureißen. Klägliche Ziegelbaracken, in denen die Sol-
daten sommers wie winters hausten. Nicht einmal
Schränke hatten sie in diesen Unterkünften, nur an der
Wand einen Haken für die Uniform. Und vielleicht ein
letztes Mal sah ich hier oben das Bild, das ich oft gesehen
hatte: einige Offiziere, allein und zu zweit im Gelände,
ihre Zigaretten rauchend. Und dazu der Soldat, der um
sie herum mit der Schubkarre fuhr, um die Ziegel ab-
schütten zu können. Und wieder und wieder um sie
herumtoben mußte, da sie noch immer dastanden, die

Stiefel ins Erdreich gestemmt. Und starr geradeaus
schauten, um in dieser äußerst schwierigen Lage den
Überblick zu behalten; von flachen Mützen getellert wie
für die Ewigkeit. –

Doch draußen standen die Deutschen und fotografierten heimlich und schienen gerade jetzt, vor diesem Rus-
senzaun, so etwas wie eine Nation. Und das Rote Kreuz
war auch dabei, und wer sich, wie ich, einen Tee geben
ließ und anschließend noch in der Kneipe verschwand,
mußte als Ostler eingestuft werden.

Bei mir am Tisch der rotwangige Herr hatte einen Ak-
tenordner mit auf den Brocken gebracht. »Alles Briefe«,
sagte er stolz. Denn Jahr für Jahr habe er an die Kommunisten geschrieben. Weil er früher doch bei der Brocken-
eisenbahn war und einmal noch im Leben auf den
Brocken wollte. Aber das eine müßte man den Kommunisten lassen, geantwortet hätten sie immer, wenn auch
erst ein halbes Jahr später: »Ihr Antrag widerspricht den
Gesetzen der Deutschen Demokratischen Republik.« –
Immer denselben Satz, triumphierte der Alte. Keine
Aussicht, jemals wieder auf den Brocken zu kommen.
Aber nun sei er oben. Hoffe er jedenfalls. Ob ich ihm
bestätigen könne, daß er auf dem Brocken wäre, rief er,
und sein Apfelgesicht verschrumpelte vor Freude. »Auf
die Berge will ich steigen«, zitierte er im Hinausgehn und
erklärte mir, daß Goethe das gedichtet habe. Der Dichter
sei nämlich selber hier oben gewesen. »Ist ja auch herr-
lich hier«, rief das Apfelmännlein und deutete in die
Gegend von Deutschland, hinab in den Wolkendunst.

»Oder etwa nicht?«

Ich nickte. Er hatte recht. Höchstens eine Andeutung

filigranen Übersteigens war noch im Dunst zu erkennen. Aber das mußte genügen. Als Andeutung eines Unerreichbaren, das gleichwohl erreicht werden wollte. Die alte Einfalt, ja. Doch besser ein Einfaltspinsel als gleich ein Apotheker sein.

»Hörnchen«, sagte sie.

Die Hauptgefahr bei einer Wiederbegegnung war, daß die furchtbare Gegenwart das bißchen Erinnerung auch noch auslöschte. Wie hatte ich jemals diese Person hinter dem Schuppen zu küssen vermocht? Gefährlich scharfkantig war sie geworden. Und hatte sich außerdem über und über mit industriellem Unrat behängt. Allein schon das Hinrichtungsohrgehänge. Und dann diese Tomahawkbrille.

»Wie siehst denn du aus?« sagte sie. »Du bist ja völlig zugewachsen.«

»Du hast dich kaum verändert«, sagte ich mit meinem zugewachsenen Gesicht. Sie aber fing schon wieder an, »Hörnchen« zu mir zu sagen, und brachte das Ereignis hinter dem Schuppen zur Sprache. »Was du noch alles weißt«, sagte ich und wußte gar nichts mehr. Nur »Hörnchen« hatte sie damals nie zu mir gesagt.

Ob ich mit dem Auto mitkommen wolle?

»Nein«, sagte ich, »ich wandere lieber.« Fünfzig Kilometer am Tag wären das mindeste. Und wenn ich mich unterwegs mitnehmen ließe, sei meine Wanderung gleich nichts mehr wert.

Zum Abschied umarmte sie mich. Und obwohl sich meine Hornbrille mit ihrer Tomahawkbrille verhakte und unsere Nasen auch kollidierten, glaubte ich doch in der Lippenberührung eine Andeutung des fernen Kindheitsgenuppers zu spüren. Da aber hatte ich mich schon gen Westen gewandt, um dieses mir unversehens zu Füßen gelegte Land mit meinem Hinken zu okkupieren.

Unten am Torfhaus viel Ausflugsbetrieb. Neben den Andenkenbuden Fernrohre zur Betrachtung des Brokkens, der sich eben jetzt in seiner ganzen Häßlichkeit präsentierte. Eine breite Asphaltstrecke bestimmte die Szenerie, und des Asphalts dominierende Glätte machte die Fichtenzweige darüber schon zum Bestandteil der Strecke und unmerklich geeigneter, sich in den Lacken der Autos zu spiegeln. Großzügig gerundete Karossen, die schon von hinten aussahn wie damals der Bundeskanzler von vorn. Beinah geruchlos kamen sie gefahren, was mich ihre Abgase mit Staunen einatmen ließ. Manche meiner Westverwandten führten auch Kinder mit sich, aber die meisten von ihnen schienen sich kaum zu vermehren. Dafür waren sie auffällig oft mit Hundeleinen verknüpft. So daß sie also auch einen Naturzusammenhang suchten und die Natur sogar vierfüßig vor sich hergehen ließen. Wobei der bekannte Satz von der Ähnlichkeit zwischen Herr und Hund in manchen Fällen auch für den Hund eine Zumutung war. Allerdings bedeutete ich für die hiesigen Hunde ein noch viel größeres Übel. Denn wo ich auch hinkam, fingen sie an, an ihren Leinen zu zerren. Und liefen von allen Seiten herbei, um fassungslos an meinen Hosen zu riechen, als ahnten sie ihren Ostblockcharakter. Wobei ich auf der Flucht vor ihnen mit meinem linken Armperpendikel nun extra Schwung holen mußte, um rechts den Fuß nach vorn zu bringen, und gleichwohl das Gehumpel am Humpeloberpunkt durch Hüpfer zu kaschieren suchte und somit immerhin die Bewahrung des Hüpfens beim Gehn demonstrierte.

»Der muß aber alle sein.«

Aus einer Motorradgruppe trat mir ein Behelmter entgegen. Seine Gestalt war wie der Blitz, der folgerichtig auf ihm abgebildet war. Mit seiner behandschuhten Rechten wies er auf ein büffelartiges Fahrzeug, auf dem derselbe Blitz noch einmal abgebildet war.

Was sollte ich tun, St. Ernst? Auch dir hatte es die Sprache verschlagen vor der behandschuhten Rechten, nur angeschaut hast du mich aus deinem vogtländischen Gips.

»Nach Goslar«, sagte ich.

Der Zukunftsmensch nickte. Und ich umkrampfte die lederne Hüfte, und unter unsäglichem Sägen begann rechts und links die Massenflucht der Bäume entgegen der Richtung der Fahrt. Bis mich der Zukunftsmensch auf dem Marktplatz absetzte. Keinen Dank wollte er. Nur den Roboterarm heben und die behandschuhte Rechte dazu. Und wieder hinaus in die Dämmerung rasen. Sich selber verfolgend, verfolgt vom Ratzen des Weltuntergangs.

Kapitel 22

So kam ich zu Goslar an. Ein violettes Abendlicht hatte sich über das Fachwerk und die Rathaustreppe gebreitet. Zu den Kneipen ringsum waren die Türen offen und die Kneipen selbst voller Menschen, die aber alle schwiegen. Wie die Häuser in den Gassen mit ihren vielfachen Giebeln und buntbemalten Balken: sämtlich sehr alt und doch neu, doch eher neu als alt. Auch die Geranien blühten herab, als hätte ich vierzig Jahre gebraucht, um bis nach Deutschland zu kommen. Und im fremd changierenden Licht eines Fensters kurz eine Gestalt, die, in die Gasse huschend, im weißen Kleid vor mir her durch die Dämmerungsstille ging.

Da aber ein Aufschrei, stadtweit. Ein unglaubliches Brüllen. Von kurzem Stimmengewirr untersetzt und endend in dumpfem Gestöhn. Als würde ausgerechnet hier der Mensch ganz besonders gequält. Dann wieder nur noch hinter den Fenstern der übliche Fernsehansager. Oder ein einzelner, schmerzlicher Ruf.

Bis daß ich wieder diesen Kastrationsschrei hörte.

»Was ist denn hier los?« fragte ich.

Ein Mann mit treuer Hundenase, wie ich ihn vom Osten her kannte, erklärte mir, daß Deutschland doch im Endspiel wäre.

»Um Himmels willen«, sagte ich. »Was ist denn da passiert?«

Aus welchem Wald ich käme, fragte mich Hundenase

verblüfft. Und ich bemühte mich, weit nach hinten, hinaus in den Abend zu deuten, noch über die dunklen Harzberge hinweg.

»Ach so«, sagte er.

Dann nahm er mich mit in die Kneipe und kaufte mir ein Bier, weil ich aus dem Osten kam. Doch auch in der Kneipe war Fußball, und jeder hielt nach Möglichkeit sein Glas in der linken Hand. Während die rechte die Vergeblichkeitsgesten ausführen mußte und dem aufstöhnenden Besitzer an seinen Hinterkopf schlug.

Jetzt aber nahm einer Anlauf und schoß den Ball ins Tor. Und abermals schrie die Stadt auf, bis auf den letzten Mann. Und die Spieler stolperten übereinander und häuften sich selber auf. Und jemand schlug mir auf die Schulter, als wäre ich es gewesen, der eben das Tor hier schoß.

Dann wurden sie alle wieder sehr ernst. Denn wieder spielten sie, und einer nannte den Namen des Mannes, der hier der gefährlichste war. Doch dann kam ein Pfiff, und die Stadt war erlöst. Und alle sprangen auf, und viele umarmten einander und liefen in Massen aufs Spielfeld und griffen sich einen Spieler und warfen ihn hoch empor. Wogegen der Spieler, der hier der gefährlichste war, eine Perle im Ohr trug und bitterlich weinen mußte. Doch da kam die Wirtin und brachte das Freibiertablett. Und wieder umarmten alle einander, und jemand erwischte auch mich und sagte andauernd »Deutschland« zu mir und daß ich nun Weltmeister wäre. Worauf die Spieler einen goldenen Phallus nahmen und den Phallus in die Höhe hoben und gelegentlich küßten. Gleichzeitig fuhr draußen ein Auto vorbei; und neuer Jubel entstand. War doch das Auto über und über mit Fahnenschwenkern beladen. Und fuhr unter rhythmischem Hupen dreimal um den Marktplatz herum, bis überall Leute mit Fahnen aus den Gassen kamen und Superdeutschland riefen. So daß nun auch die Leute aus der Kneipe fortliefen und ich Mühe hatte, mein Westbier noch auszutrinken. Denn schon war der Marktplatz besetzt von rhythmisch Springenden, die, im Takt mit dem Hupengedröhn, alle auf englisch sangen. Und hinter dem Marktplatz bildeten sie auf- und niederhüpfende Haufen, durch die die Autos hindurchfahren mußten. Derart, daß die Autos dicht umringt wurden und ihnen auf die Dächer geklopft und ihr Glanz mit den Händen gestreichelt. Und da sich die Chromschiffe Meter um Meter durch die Massen durchschoben, wurde zum Abschluß noch eine riesige Fahne von vorn über das Chromschiff gezogen, so daß die Fahne das Chromschiff nach und nach bedeckte und zärtlich von vorn bis hinten bestrich. Und der Glanz und die Rufe, die Fahne, das Blech einander begatteten. Und sie den Namen SUPER, ihres Gottes, anriefen, das omnipotente Ich, das mit einem kurzen Okay seiner Braue die Elektronen der Welt dirigierte. Und immer neue Fahnen kamen, und immer wieder neu wurde unter Rufen und Hupen der Ritus der Chromschiffbedeckung vollzogen. Wobei ich den jungen Leuten wirklich lassen mußte, daß ihre Hüpfensausdauer gegen unendlich ging. Doch jene Chromschiffe, die das Sakrament des Bundesadlers bereits empfangen hatten, fuhren um den Marktplatz herum und stellten sich unter Jubelgeschrei hinten im Hupen an. Ich aber schlich mich beiseite, diesen mir völkerkundlich merkwürdigen Abend zu notieren. Als sie mir tatsächlich winkte, aus einem Marktplatzfenster. Natürlich irrte ich mich. Doch als ich wieder hinsah, war sie noch immer im Fenster, in ihrem weißen Kleid, und beugte sich mir ausdrücklich über den Marktplatz entgegen.

Trotz meines hohen Alters unmöglich, nicht hinzugehen. Ging allerdings betont langsam und möglichst umständlich hin. Worauf sie schon unwillig winkte.

»Hier ist was los, was?« sagte ich zu ihrem Fenster herauf. Aus dem sie, von meiner verwunderten Hand gehalten, herabsprang und wirklich im weißen Kleid vor mir stand. Denn eben war ein Behelmter mit dem Motorrad gekommen und bat mich, die Fahne zu halten. Ehe sie in die Menge abfuhren und Superdeutschland riefen. Da stand ich da mit der Fahne. Und schaute, von Rufen und Hupen umtobt, in die Walpurgisnacht der Motoren. Und sagte Supertrottel zu mir und stellte die Fahne leise an der Hausmauer ab. Und nahm mir ein winziges Zimmer und legte mich da hinein. Tat die Hände zwischen die Knie und zog meine Knie an mich; ein Bündel, das sich der Nacht übergab.

*

Du kannst machen, was du willst, die Harzreise bleibt Fragment. Nur soviel: In jener Nacht schlief ich mit meiner Frau; ein besonders tiefer, verworrener Lichtaugenblick, da das Gesicht meiner eigenen Frau vor Schönheit fast zerschmolz. So daß ich am Morgen danach endlich wußte, warum sie mich in den Harz geschickt hatte. St. Ernst sah mich immer noch an, und nicht einmal der Einwand half, daß ich nur ein Hilfswanderer wäre. So daß ich ihm auf seinem Streckbett im Vogtland verspre-

chen mußte, die Motorradstrecke zu Fuß wieder zurück-
zulaufen. Ein Schuhkauf war unerläßlich. Und als ich die
cellophanenen Bonbonhöhlen betrat, die leuchtenden
Spraywälder und gleißenden Uhrengletscher, wußte ich,
daß ich sie immer schon wollte, seit meiner Kaugummi-
zeit. Und es erschauerte mich, da sie nun mir gehörten.
Apotheken zählte ich zwölf. Die Gleichmäßigkeit der
Dächerbeschindelung schien mir verpackungsmäßig.
Das Pflaster war nur selten noch holprig und stellte,
wenn es holprig war, die Holprigkeit ausdrücklich dar.
Was hatten die hier nur aus unserem Deutschland gemacht! Allein das Gras in den Ritzen war echt. Wie auch
die Gose noch immer den Mühlengraben durchfuhr, als
wäre wer weiß was zu tun. Am Bahnhof saß der Kohlenmann. Ich gab ihm eine Mark. Und hätte nun doch
einmal Dankbarkeit erwartet. Aber das Weiß seiner Augen nahm mich schon nicht mehr wahr. Auch Hundenase traf ich noch mal. Er habe gestern, sagte er, mächtig
einen draufgemacht, so daß ich ihm zubilligte, kein Apotheker zu sein. »Wo denkst du hin«, sagte er, »wir haben
hier viele Berufe.« – Endlich betrat ich den Wald mit
meinen neuen Schuhen. Die Marke war Mephisto und
jeweils ein Hirsch abgebildet. Dazu kam ein eingebauter
Trampolineffekt und nun zu meinem Denkungsgeschnauf das mephistophelische Westlergeräusch meines
pneumatischen Schuhs. Der Weg war unbeschreiblich,
allein schon der Wurzeln wegen. Einmal führte er mich
auf eine Gruppe kleiner, dunkler Fichten zu, die vor mir
auseinanderrückten und mich in das Innere führten, wo
eine Lichtabschüttung war. So daß ich da hindurchging.
Und eine Stimme sprach: »Dies ist mein Sohn Karl-
Heinz.«

Das Zitterbild

Am Grenzhang abwärts, an verschwiegner Stelle,
ging noch ein Wasser über einen Stein.
Die Oberfläche, schwach in sich gekrümmt,
war gläsern fest und zitterte kaum merklich,
da ich die Lippen auf die Fläche legte.
Und unter mir, tief unterm Eis des Wassers,
die Blumen und die Farne wanken sah
und tiefer noch, in einer Grotte
aus reglos schimmernden Metallen,
den Käferkönig und die Schaumzikade,
die Schaumzikade und den Käferkönig
auf goldnen Füßen rasch nach hinten eilen,
als schaue ich auf meiner Kindheit Grund.
Eisige Kälte drang mir bis ins Hirn.
Schwarmdiamanten schossen hin und her.
Doch meine tiefversunknen Augen schauten
mich im Versinken seltsam bittend an.
Und auf stieg eines Waldschrats blasses Bild.
Die Stirn in lächerlichem Ernst gefältelt.
Das Aug verlötet von Zufriedenheit.
Die Brille Nickel. Und die Nase Knulp.
Bis sich das Wasser gnädig kräuselte.
Nicht weiß die Unschuld, welches Rohr sie schluckt.
Drei Tage war ich bis hierher gewandert,
und fünf Minuten von hier fuhr ein Bus.

Neue deutschsprachige Literatur
in der edition suhrkamp
Eine Auswahl

- Spiegelland. Ein deutscher Monolog. es 1715. 157 Seiten
- Steinzeit. es 2151. 160 Seiten

Kurt Drawert (Hg.)
- Das Jahr 2000 findet statt. Schriftsteller im Zeitenwechsel.
  es 2136. 280 Seiten

Oswald Egger
- Herde der Rede. Poem. es 2109. 380 Seiten
- Nichts, das ist. Gedichte. es 2269. 160 Seiten

Werner Fritsch
- Aller Seelen. Golgatha. Stücke und Materialien.
  es 3402. 200 Seiten
- Es gibt keine Sünde im Süden des Herzens. Stücke.
  es 2117. 302 Seiten
- Fleischwolf. Gefecht. es 1650. 112 Seiten
- Die lustigen Weiber von Wiesau. Stück und Materialien.
  es 3400. 189 Seiten
- Steinbruch. es 1554. 53 Seiten

Rainald Goetz
- Celebration. Texte und Bilder zur Nacht. es 2118. 286 Seiten
- Hirn/Krieg. es 1320. 508 Seiten
- Kronos. Berichte. es 1795. 401 Seiten

Durs Grünbein
- Grauzone morgens. Gedichte. es 1507. 93 Seiten

Norbert Gstrein
- Anderntags. Erzählung. es 1625. 116 Seiten
- Einer. Erzählung. es 1483. 118 Seiten

Katharina Hacker
- Morpheus oder Der Schnabelschuh. es 2092. 126 Seiten

- Tel Aviv. Eine Stadterzählung. es 2008. 145 Seiten

Johannes Jansen
- heimat ... abgang ... mehr geht nicht. ansätze. mit zeichnungen von norman lindner. es 1932. 116 Seiten
- Reisswolf. Aufzeichnungen. es 1693. 67 Seiten
- Splittergraben. Aufzeichnungen II. Mit zahlreichen Abbildungen. es 1873. 116 Seiten
- Verfeinerung der Einzelheiten. Erzählung. es 2223. 112 Seiten

Barbara Köhler
- Deutsches Roulette. Gedichte. es 1642. 85 Seiten
- Wittgensteins Nichte. vermischte schriften / mixed media. es 2153. 175 Seiten

Uwe Kolbe
- Abschiede. Und andere Liebesgedichte. es 1178. 82 Seiten
- Hineingeboren. Gedichte. 1975-1979. es 1110. 137 Seiten

Ute-Christine Krupp
- Alle reden davon. Roman. es 2235. 140 Seiten
- Greenwichprosa. es 2029. 102 Seiten

Ute-Christine Krupp/Ulrike Janssen (Hg.)
- »Zuerst bin ich immer Leser«. Prosa schreiben heute. es 2201. 100 Seiten

Christian Lehnert
- Der Augen Aufgang. Gedichte. es 2101. 112 Seiten
- Der gefesselte Sänger. Gedichte. es 2028. 92 Seiten

Jo Lendle
- Unter Mardern. es 2111. 99 Seiten

Thomas Meinecke
- The Church of John F. Kennedy. Roman. es 1997. 245 Seiten

Bodo Morshäuser
- Hauptsache Deutsch. es 1626. 205 Seiten
- Revolver. Vier Erzählungen. es 1465. 140 Seiten
- Warten auf den Führer. es 1879. 142 Seiten

José F. A. Oliver
- fernlautmetz. Gedichte. es 2212. 80 Seiten

Albert Ostermaier
- Death Valley Junction. Stücke und Materialien.
  es 3401. 111 Seiten
- Erreger. Es ist Zeit. Abriss. Stücke und Materialien.
  es 3421. 111 Seiten
- fremdkörper hautnah. Gedichte. es 2032. 100 Seiten
- Herz Vers Sagen. Gedichte. es 1950. 73 Seiten
- Letzter Aufruf. 99 Grad. Katakomben. Stücke und Materia-
  lien. es 3417. 150 Seiten
- The Making Of. Radio Noir. Stücke. es 2130. 192 Seiten

Doron Rabinovici
- Credo und Credit. Einmischungen. es 2216. 160 Seiten
- Österreich. Berichte aus Quarantanien. Herausgegeben von
  Isolde Charim und Doron Rabinovici. es 2184. 172 Seiten
- Papirnik. Stories. es 1889. 134 Seiten

Ilma Rakusa
- Love after Love. Gedichte. es 2251. 68 Seiten

Patrick Roth
- Ins Tal der Schatten. Frankfurter Poetikvorlesungen.
  es 2277. 120 Seiten

Lutz Seiler
- pech & blende. Gedichte. es 2161. 90 Seiten

Silke Scheuermann
- Der Tag, an dem die Möwen zweistimmig sangen. Gedichte.
  es 2239. 90 Seiten

Christoph Schlingensief
- Schlingensiefs »Ausländer raus!« Bitte liebt Österreich.
  Herausgegeben von Matthias Lilienthal und Claus Philipp.
  es 2210. 272 Seiten
- Christoph Schlingensiefs ›Nazis rein‹. Herausgegeben von
  Thekla Heineke und Sandra Umathum.
  es 2296. 328 Seiten

Hans-Ulrich Treichel
- Der einzige Gast. Gedichte. es 1904. 71 Seiten
- Der Entwurf des Autors. Frankfurter Poetikvorlesungen.
  es 2193. 117 Seiten
- Liebe Not. Gedichte. es 1373. 79 Seiten
- Über die Schrift hinaus. Essays zur Literatur.
  es 2144. 241 Seiten

Jamal Tuschick
- Kattenbeat. Roman in drei Stücken. es 2234. 180 Seiten
- Keine große Geschichte. Roman. es 2166. 200 Seiten

Christian Uetz
- Don San Juan. es 2263. 80 Seiten

Anne Weber
- Ida erfindet das Schießpulver. es 2108. 120 Seiten

NF 313/5/2.02